LA COURSE
AUTOUR DU MONDE

LA COURSE AUTOUR DU MONDE

LES SECRETS DE LA COURSE 82-83

Réunis par Roger Bourgeon,

récits, souvenirs, anecdotes de voyage
des participants :

Alain Brunard, Mario Bonenfant,
Marc de Hollogne, Raphaël Guillet,
Jean-François Cuisine,
Anne-Christine Leroux, Georges Amar,
Yves Godel.

Hachette
Télé-Union

11 septembre 1982... c'est la nuit, douce encore, comme le sont les soirées de Paris à l'automne.

Une petite rue qui débouche sur l'avenue du Général-Leclerc, près de la porte d'Orléans. Dans l'unique salle d'un bistrot à couscous, on a mobilisé chaque centimètre pour dresser une immense table qui fait le tour de la pièce. C'est le dîner d'au revoir pour les télé-globe-trotters de la course 82-83. La septième pour Antenne 2, la cinquième qui va se jouer avec les télévisions de Luxembourg, de Genève et de Montréal.

Dans quelques heures des vols Air France vont emporter les huit jeunes participants vers leur première escale. L'émission du départ vient d'être enregistrée au studio 4 d'Antenne 2, rue Cognacq-Jay. Les traces de maquillage, mal effacées sur les visages, en témoignent.

Jacques Antoine, l'inventeur de l'épreuve, est là. Depuis quelque trente ans que je le connais, il me semble que son sourire et sa silhouette sont demeurés immuables. Peut-être parce que nous avons vieilli conjointement, peut-être parce que cet infatigable créateur a su conserver et même développer l'enthousiasme de son adolescence.

Fidèle des fidèles, Jean-Michel Boussaguet est présent aussi. Bien plus, pour l'équipe, qu'un réalisateur, c'est lui qui depuis la première course — il y a six ans de cela — cherche et trouve une traduction image, aux idées et aux mots que nous échangeons avec Jacques Antoine. Sans lui, sans son expérience, sans la sûreté qu'il met à guider nos monteurs, les films que nous adressent les jeunes n'auraient jamais atteint cette qualité, ce fini, qui impressionne beaucoup de professionnels. Jean-Michel, en visionnant un sujet, repère tout de suite le plan qu'il faut changer, la scène qui doit prendre du rythme, l'image qui gagne à s'installer, celle qui gêne ou trahit le discours. Ancien opérateur de prise de vues aux actualités Gaumont, il a recueilli l'héritage de ses aînés chasseurs d'images qui, avant que la télévision ne se propage, prenaient tous les risques pour « couvrir l'événement » sur les écrans de cinéma et qui, munis de leurs énormes caméras 35 mm, partaient seuls dans des régions en conflits où ils perdirent bien des leurs, entre la guerre d'Espagne et celle d'Indochine. De ces modèles Jean-Michel a gardé la rigueur, le coup d'œil infaillible et un amour tellement forcené pour la caméra, que tout voyage s'accompagne pour lui d'un « Mickey », selon son expression, petit film qu'il tourne et monte pour son plaisir et celui des amis que Nicole, son épouse, accueille dans leur maison des champs, à une vingtaine de kilomètres de Paris.

Près de lui est assise Noëlle. Maryse, mon épouse, notre fils Thierry et moi l'appelions « Nouche » alors qu'elle était une toute petite fille. Et elle est restée Nouche pour six générations de télé-globe-trotters. Cette année encore, c'est elle qui veillera sur chacun des participants, près du téléphone, capable à la fois d'écouter, de conseiller, d'informer, de consoler, de rassurer, de réveiller et de secouer.

Un grand garçon brun se lève pour chercher des boissons. Il se prénomme Lee, un prénom américain associé à un nom qui fleure bon le Sud-Ouest : Lapeyronnie. Depuis la saison dernière, Lee est l'assistant de réalisation de la course. On ignore habituellement ce qu'est le travail d'un assistant de télévision. Une image naïve le montre en homme à tout faire, en saute-ruisseau, porteur de commissions. A la vérité, c'est un technicien connaissant toutes les utilisations possibles du cinéma et de la vidéo. La réalisation, métier récent, a repris les traditions anciennes : avant de devenir maître d'œuvre, on est d'abord compagnon. Lee projette depuis des mois de réaliser une première : la descente en moto de toute la côte ouest des Amériques. Dunes, pistes et sentiers compris avec, bien sûr, films à l'appui. Il doit accomplir ce long voyage avec Philippe Braquemont dit Phli, dit La Flèche. Phli est le motard qui, depuis trois saisons, court d'aéroport en aéroport, de laboratoire de développement en salle de montage pour retirer, déposer, reprendre et rapporter les pochettes de toile jaune contenant les films de la course. Le projet américano-moto-cycliste des deux compagnons ne s'est pas concrétisé cette année. Pendant six mois encore ils ne s'évaderont qu'en pensée.

Un nouveau dans l'équipe : vingt-quatre ans, de retour du service militaire, grand, blond et solide, c'est Jean-Jacques Féron. Frère d'une comptable de Télé Union, téléspectateur assidu, il ne perdait pas une semaine de course. Notre équipe cherchait une secrétaire, Jean-Jacques s'est entraîné à la machine à écrire pendant deux mois : nous aurons un secrétaire.

Autour de la table de couscous, les jurés permanents des quatre stations. Parmi eux, un seul ancien : Jacques Huwiler, le Suisse. Dès la première saison de course francophone, il fut le parrain des candidats helvétiques. Un parrain efficace puisque ses poulains ont toujours, jusqu'ici, gagné la course. Rappelons-nous : Gérard Crittin, Stanislav Popovic, Paul-Henri Arni et Thierry Dana.

Pour R.T.L.-Télévision, mon vieil ami Jean Carlier n'est plus avec nous. La soixantaine atteinte, il a dû renoncer à son titre de directeur de l'information et à son rôle d'éditorialiste à la rédaction parisienne de la station luxembourgeoise. Il se consacrera désormais à la défense de la nature pour laquelle il se bat durement depuis des années. Son remplaçant, dans la course, est un jeune journaliste d'origine marseillaise, Gilbert Nicoletta. Nous l'observons, comme on observe tout nouveau dans une équipe. De l'avis général, il a l'air d'y croire et d'en vouloir.

Changement aussi à Antenne 2. Mireille Rault, notre « Mimi », la seule fille qui se soit jusqu'à présent classée seconde dans l'épreuve, il y a quatre ans, s'est mariée avec un garçon sympathique, descendant de Russes blancs immigrés, constructeur immobilier dans la région Saumur-Angers. Mme Mireille, se rapprochant de sa Bretagne natale, vit désormais en pleine douceur angevine, et elle ne nous rejoindra plus qu'épisodiquement. François Desplats lui succède comme juré permanent des Français. Journaliste, la trentaine, il a fait pendant plusieurs années partie de l'équipe d'« Aujourd'hui Madame », sous la conduite d'Armand Jammot. Il présente sur l'antenne la télévision des téléspectateurs que créa Jacques Loquin. Il côtoie de ce fait les amateurs de super 8.

Changement enfin à Radio Canada. Le cinéaste Jean-Pierre Masse va s'engager dans le tournage d'un long métrage qui réclamera tous ses soins. C'est un critique cinématographique, fort suivi au Québec, Richard Gay, qui nous joindra donc chaque semaine par circuit radio depuis Montréal. Pour le départ, il est avec nous à Paris aux côtés de Claude Morin, l'ami des premiers jours qui veille toujours avec passion sur les programmes pour la jeunesse de Radio Canada et sur l'équipe montréalaise de la course autour du monde.

Pas de changement en revanche chez les animateurs, réunis eux aussi pour ce dîner. Ils se retrouveront chaque samedi dans le même studio puisque les trois télévisions européennes ont décidé de réunir leurs jurés sur un plateau unique, celui d'Antenne 2. Didier Régnier, gagnant ex æquo avec Jérôme Bony de la course 77-78 et qui battit, de quelques points, Philippe de Dieuleveut, présentera les films des Canadiens et des Français. Didier, Jérôme, Philippe... l'énoncé de ces trois prénoms auxquels il faut ajouter ceux de Bruno (Cusa), Christophe (Valentin), Corinne (Perthuis), Jean-Marie (Lequertier), Bertrand (Olivetti), Dominique (Martigne), Dominique (Charton), Roger (Motte), montre que la course constitue un remarquable terrain d'entraînement pour notre profession.

Jean-Pierre Cuny, qui vient de connaître un succès rarement atteint à la télévision par un programme culturel avec la remarquable « Aventure des Plantes », introduira sur les antennes les reportages des Suisses et des Belges.

L'équipe de montage nous pose, cette année, quelques problèmes : Annie-Claude Bequet, qui s'était adaptée magnifiquement au format super 8, s'est vue réclamée par le journal d'Antenne 2. Elle abordera un nouveau type de montage : la vidéo. Bernard Bloch, de son côté, a commencé pendant l'été une série pour F.R.3, il doit la poursuivre et ne pourrait consacrer que quelques heures par semaine à la course. Heureusement, son vieil ami, Alain Monttesse, qui fut pendant deux saisons le monteur officiel de notre émission, accepte de rejoindre le groupe. Il nous a présenté pour le second poste un de ses anciens professeurs de l'I.D.H.E.C., Annie Descendres. Elle entamera la course avec nous. Hélas, un accident de santé l'éloignera au bout de quelques jours. Un de nos anciens lauréats belges, Benoît Jacques, se perfectionnera au montage. Il assumera avec un goût et une conscience dignes d'un vieux professionnel, l'assemblage des sujets émanant d'Alain Brunard, Raphaël Guillet, Jean-François Cuisine, Mario Bonenfant.

Alain, Raphaël, Jean-François, Mario. Ils sont là aussi, bagages bouclés, ainsi que leur quatre camarades et adversaires : Anne-Christine, Marc, Georges et Yves. Le repas, organisé pour accueillir ces nouveaux, tourne déjà au banquet d'anciens.

Aucun de nous pourtant ne peut prédire comment les huit télé-globe-trotters vivront cette année l'aventure, d'autant que le choix pour chaque jury d'éliminatoires s'est avéré très difficile.

A Montréal, après plusieurs sujets imposés sur le territoire canadien d'abord, puis aux États-Unis, quatre candidats demeuraient en compétition : Diane Blais de Québec, Daniel Vigeant de Laval-des-Rapides, Georges Amar de Montréal et Mario Bonenfant de Trois-Rivières. Les deux derniers l'ont finalement emporté. Nous avons donc vu arriver un garçon trapu, brun, né à Casablanca il y a vingt-quatre ans, devenu canadien par le déplacement de sa famille vers l'Amérique : Georges Amar. Il poursuit à Montréal des études de mathématiques supérieures, mais se déclare passionné par le cinéma. Avec lui, celui qui sera le benjamin de la course : Mario Bonenfant, vingt et un ans, long, mince, un visage qui dit la fraîcheur et la confiance, un sourire capable de bouleverser une escouade de nonnettes. L'exil des Bonenfant remonte au XVIIe siècle. Le berceau des ancêtres : Fontenay-le-Comte en Vendée.

Le jury de Genève devait fixer son choix entre cinq candidats. Véronique Cuhat, hôtesse d'accueil à Lausanne, vingt-quatre ans, sélectionnée grâce à un sujet écologiste. Pour son film destiné aux éliminatoires, elle a tiré au sort la ville de Salzbourg. Son reportage mêle habilement les souvenirs de Mozart, le rock et les extravagances d'un camelot autrichien. Marie-Laure Dind, née à Chamonix, vingt-quatre ans, mariée en Suisse, vendeuse d'articles de sport à Morrens dans le canton de Vaud. Film de sélection : les sculpteurs sur glace de Chamonix. Film d'éliminatoires, à Amsterdam : portrait d'un étrange personnage qui s'exhibe dans les rues, revêtu de surprenants costumes faits en papier. Marc-André Cotton, vingt-quatre ans, étudiant à Genève. Il suivit pour les sélections un groupe de Japonais randonnant en Suisse ; pour les éliminatoires : les effets de la pollution dans une cité balnéaire espagnole. Raphaël Guillet, vingt-trois ans, de Villeneuve (canton de Vaud). Sélection : portrait d'une culturiste. Éliminatoires : contrastes romains. Yves Godel, enfin, vingt-deux ans. Pour sa sélection : un très bon reportage sur un hôtel pour « paumés » à Genève. Pour les éliminatoires : un portrait d'une restauratrice d'œuvres d'art à Dublin.

Les jurés ont finalement désigné Raphaël, tranquille, souriant, discret, et Yves, personnage moins paisible, dissimulant son inquiétude sous une désinvolture apparente, mais qui saura peut-être s'évader, pour la course, des thèmes conventionnels.

Les jurés du Luxembourg avaient devant eux cinq noms et dix petits films : Alain Brunard, vingt-trois ans, de Bruxelles, a présenté d'abord une enquête sur le vieux quartier bruxellois des Marolles. Son sujet d'éliminatoires, à réaliser dans une région de France imposée, était consacré au T.G.V. (train à grande vitesse), mis en service par la S.N.C.F. entre Paris et Lyon. Marc de Hollogne, vingt et un ans, lui aussi bruxellois, compose de la musique et débute dans la chanson. Son film de sélection parodiait la course autour du monde. Pour les éliminatoires, il a présenté le portrait d'une « présidente imaginaire » en Franche-Comté. Philippe Geignon, vingt ans, habite Charleroi et est animateur de radio libre. Un film de sélection sur la fabrication des hosties, l'histoire d'un croque-mort poète pour les éliminatoires. Jean-Louis Cuppens, vingt-quatre ans, d'Angleur, près de Liège. Premier thème : un élevage de poissons exotiques dans la Meuse ; second thème : le portrait d'un inventeur qui a mis au point un système d'alerte provenant des tombes pour les cas d'ensevelissement prématuré. Évelyne Lambert, dix-neuf ans, d'Ottignies, a proposé aux sélections le travail d'un tailleur de pierre ; aux éliminatoires, « la reine de Saint-Cyr », un amusant tournage sur la pêche à la grenouille dans les marais vendéens. Les jurés de R.T.L. ont désigné les deux premiers de la liste : Alain Brunard, secret, méthodique, qui semble bien organisé ; Marc de Hollogne, grand, au regard bleu pâle étonnant, et qui rêve d'images spectaculaires mêlées de musique.

Les jurés français ont hésité jusqu'à la dernière seconde entre cinq propositions. Celle de Jérôme Cazaumayou, vingt ans : il a présenté aux sélections un très joli film sur un vieux manège de sa ville, Annecy. Pour les éliminatoires, il a ramené de Genève un portrait, un peu conventionnel, de chanteur de rues. Celle de Jean-François Cuisine, de Carry-le-Rouet, près de Marseille, vingt-quatre ans, étudiant en pharmacie par raison et parachutiste par passion : de remarquables images d'un saut groupé pour les sélections. Pour les éliminatoires, fort réussi pour l'image, le portrait d'un punk de la première heure à Londres. La proposition de Frédéric Laffont, vingt, de Maurepas dans les Yvelines. Son premier film : un chirurgien vietnamien réfugié en France. Son second : un interné dans la prison modèle de Genève. Celle d'Anne-Christine Leroux, vingt-deux ans, de Boulogne. Elle a filmé pour les sélections à Amsterdam un squatter qui a bâti sa maison dans un arbre. Pour les éliminatoires, les scènes de la vie quotidienne de la communauté indienne de Londres. Celle enfin de Chantal

Perrin, vingt-trois ans, d'Épinal. Sélection : les derniers chevaux utilisés pour les travaux des champs dans les Flandres, des images splendides ! Éliminatoires : un fabricant de gueuzelambic à Bruxelles. Les jurés français ont écarté Jérôme Cazaumayou, très jeune, qui a sans doute besoin de mûrir, de s'affirmer... Peut-être l'an prochain !... Sur les quatre autres, les avis étaient si partagés qu'au moment de passer sur le plateau de l'émission, aucun des membres du jury ne savait encore réellement pour qui il allait se prononcer. Curieusement, la presque unanimité s'est faite au moment du vote sur les numéros 2 et 4. Jean-François Cuisine paraît solide, on peut penser que son séjour chez les paras, tout en l'accoutumant à une discipline, a développé chez lui un esprit de débrouillardise. Anne-Christine Leroux fait preuve d'une profonde intelligence. Sensible, elle saura certainement approcher les gens de toute race, les comprendre et bien traduire leurs sentiments.

Anne-Christine et Jean-François, Alain et Marc, Raphaël et Yves, Georges et Mario, quittent Paris demain. Ils enverront leur premier film en fin de semaine. Leur travail dans la course sera moins astreignant que celui de leurs prédécesseurs. En vingt-deux semaines d'épreuves, chacun ne présentera que dix-sept reportages. Une semaine de repos pour trois semaines de tournage devrait, dans notre esprit, leur permettre de s'écarter des grands axes, d'effectuer des pointes hors des régions trop courues par les touristes. Nous ne savons pas à ce moment-là que bien peu exploiteront cette possibilité.

Comment leur course a-t-elle été vécue ? Voici leur récit à l'état brut recueilli sur magnétophone, après cinq mois et demi de tour du monde, alors que chacun, dans l'attente de la finale, était ignorant de l'ultime classement.

Bien évidemment, la médaille a son revers. L'enregistrement « à chaud » traîne après lui quantité d'approximations, de redites, de phrases mal construites, mais son mérite me paraît être la sincérité.

A cette sincérité, je n'ai pas voulu apporter d'adoucissement. Certains jugements vous paraîtront hâtifs, certaines impressions exagérées, certaines idées fausses. Vous noterez sans doute les émotions contraires ressenties par deux garçons dans un même pays. Des lecteurs s'insurgeront contre des compliments décernés à tel personnage, contre des critiques appliquées à tel autre.

Sur la scène hebdomadaire de la course, vous avez vu et entendu nos jeunes jugés, leurs films décortiqués. Ils ne sont plus sur la scène. Ils parlent hors des contraintes de temps, de classement, de qualité d'images et de sons. Nous pouvons accepter ou rejeter leurs émerveillements, leurs enthousiasmes, leurs amertumes ou leurs révoltes, ce n'en sont pas moins *leur* révolte, *leur* amertume, *leur* enthousiasme et *leur* émerveillement.

10

Marc de Hollogne
BELGIQUE

Ce que j'entends là... c'est le générique de l'émission... le générique de fin !
Ça y est −, c'est fini ! Rideau ! Ni moi ni personne ne semble réaliser, mais
il s'agit bien du dernier générique de fin. On dirait que cela les fait rire. −
« Bravo ! » « Félicitations ! » « Il vous en a fallu du courage... » Que de
poignées de mains, de sourircs... C'est absurde. Vestiaire tout le monde !
Les huit pantins et leurs valises. En douceur, en sourires... mais vestiaire
tout de même ! C'est fini et vous me plantez déjà un micro dans l'œso-
phage ! C'est trop tôt ! Cinq mois de course, cela ne se digère pas ainsi. C'est
trop tôt ! J'ai pas envie ! Vraiment pas ! La course, vous parlez d'une
invention ! Des chrétiens dans l'arène. Faites-nous du bon spectacle, mes
enfants ! Vous n'êtes que des amateurs, bien sûr, mais comportez-vous
comme de vrais pros. Cinq mois à cavaler après un avion, un taxi, un sujet
« sensass »... après quelques points... ou je ne sais plus trop quoi. On cavale,
détaché de tout et de tous. On s'en va renifler l'Aventure ! Quelle chance
tout de même ! Escales bancaires assurées, tickets d'avion en poche, il ne
nous reste plus qu'à plaire au jury et à passionner les foules : presque rien. A
vingt ans, vous pensez, il y en a tellement qui donneraient cher pour se
trouver à votre place !

Alors le drapeau s'abaisse. Et la bataille commence. La première du
moins, la compétition entre nous. Inévitable. Mais le véritable combat ne
tardera pas : celui que l'on se livre à soi. C'est qu'il faut y arriver... au bout
du tunnel ! Jusqu'au bout, tout en s'améliorant, bien sûr. Toujours faire
mieux ! Toujours plus vite ! S'agit pas de louper un Boeing. S'agit pas de
commencer à se poser des questions. Commencer à réaliser que l'on s'est
fait avoir. Elles s'envolent fières et gonflées, les poires ! Cela ne durera pas.
Huit poires autour du monde... Portées aux nues ! Faut garder du jus pour

cinq mois ! S'agit pas de comprendre que ces cinq mois, on les verra pas passer ! On les avalera. D'un bloc. A peine si on y touchera. Ce rythme effréné brûlera tout. Qu'une chose à faire : se grouiller ! Comment ne pas tirer son chapeau à Anne-Christine ? Sœur Sourire ! Comme les scouts ! Toujours prête ! Sincèrement bravo ! Quelle santé ! S'agit pas non plus de s'attacher. A rien. Au bout de la semaine... c'est l'avion ! Pas d'holiday, baby ! Tout nous file sous les narines. On survole. On voit rien. Frustrés jusqu'au trognon. Déçus. Tout seuls. Aplatis sous les valises. Mais on s'y fait ! Puis, je vous l'ai dit... ça passe vite...

Et nous revoilà ! C'est déjà fini ! A présent... nous faisons partie de la fameuse famille des globe-trotters. Des anciens ! S'agit donc de faire comme eux ! Me saigner une dernière fois... et lui raconter quelques petites choses à votre micro. C'est pas du gâteau ! C'est que voltiger d'une latitude à l'autre...

Nous qui partons assoiffés de kilomètres, nous les vagabonds des méridiens, voltiger ainsi, cela nous ouvre tellement l'esprit qu'en fin de compte... on n'y voit plus grand-chose. Façade intacte, identique à celle de la case départ. A l'intérieur, c'est pas pareil ! C'est là que l'ouragan a fait mouche. A l'intérieur... des ruines ! Tout s'y trouve pêle-mêle. Tous les souvenirs. Par milliers. Ils mettront du temps à faire surface. Mais quand ça sortira, quand ça fera plus mal... peut-être que l'on s'apercevra alors que ces cinq mois éclairs, ils auront duré des lustres ! Une éternité ! Tous ces visages, ces voix. Tous ces petits bouts de soirées. Ces repas partagés avec des inconnus. Des inconnus qui rapidement formeront une famille. Une famille pour quelques jours. Une famille à chaque escale. Une famille qui parfois ne parlait pas ma langue. Ni moi la leur. Et pourtant, nous parlions des heures ! Avec les yeux, les mains, les rires... Et puis, pas de quartier... fallait quitter ! Je ne suis pas près de reprendre l'avion. Je me revois trop me traîner sous mes valises, tantôt vociférant, tantôt chialant comme une Madeleine à qui l'on aurait infligé une overdose d'exotisme !

Raphaël Guillet
SUISSE

Hier soir, sachant que j'avais à parler aujourd'hui pour ce bouquin, je suis allé dans un bar, dans un bistrot de Paris, avec ce qui reste de mes cahiers de voyage, de mon journal de bord. *Ce qui reste,* parce qu'on a perdu, quelque part en Afrique, entre deux avions, deux de ces cahiers. J'ai rouvert ceux que j'ai pu garder, je les ai relus et, tout en buvant deux verres de rouge, j'ai commencé à prendre des notes, des notes à partir de ces souvenirs. Le premier de ces souvenirs se situe à Rome, sur la piazza di Spagna... pour le film d'éliminatoire. On n'était plus que cinq à l'époque. Je me souviens de cette place, j'étais assis sur les escaliers qui la surplombent ; à côté de moi, il y avait un artiste de rues à qui j'avais demandé de dessiner le portrait d'Anna Magnani. J'allais filmer, en plusieurs plans, la progression du portrait.

A Zurich, où tous les concurrents avaient reçu un billet, sans en connaître la destination, j'avais appris que je partais pour Rome. Dès cet instant, j'avais su que j'allais faire un film sur le cinéma. Je ne savais pas quoi exactement mais coûte que coûte, je ramènerais quelque chose ! A Rome, j'ai commencé par aller contacter des gens à Cinecitta. J'ai eu la possibilité de rencontrer une assistante metteur en scène de Sergio Leone, qui était en train de tourner : *C'era una volta l'america* (« Il était une fois l'Amérique »), avec Robert de Niro. J'ai eu les autorisations pour venir tourner le vendredi, un jour avant le retour en Suisse, mais, par la suite, cette autorisation a été refusée parce que Robert de Niro ne voulait plus de cameramen et de photographes sur le plateau.

Mais sur cette place, sur ces escaliers de la piazza di Spagna où je me trouvais, j'avais commencé à prendre des plans concernant Anna Magnani, cela devait être le fil conducteur de mon sujet. Tout d'un coup, de ces marches d'escaliers, j'ai vu arriver une équipe de tiffosi qui fêtaient la victoire des Italiens contre le Brésil à la coupe du monde de football, au Mundial. J'ai eu le réflexe de prendre la caméra sans savoir que j'allais utiliser ça plus tard.

Tout cela pour dire que mon sujet a été plus une mosaïque d'images autour d'un thème qu'un véritable sujet. D'ailleurs j'avais pensé, alors que je venais à Paris pour le montage, qu'à cause de cela je ne serais pas qualifié. Je l'ai été ; le film a plu parce qu'il y avait une atmosphère. Je me souviens très bien de la remarque d'un juré : « Il faut que la course change, on ne peut plus partir maintenant à la recherche de sujets vraiment originaux, ils sont de plus en plus rares ; il faut qu'elle évolue vers des films d'ambiance, ou vers une espèce de carnet de route. »

C'est sur cette base-là, avec ces critères-là, que je suis parti. J'avais en tête de faire des films qui devaient privilégier l'émotion plutôt que l'information. Ne pas être scolaire en disant : « ceci est comme ci, comme ça... ». Des émotions, on en manque, alors qu'on croule sous le poids des informations. Donc, j'allais essayer de livrer des impressions, de suggérer une atmosphère. Rendre l'émotion, mais attention, ne pas tomber dans le mielleux, dans l'abominable sentimentalisme qui consiste à dire : « Oh comme c'est joli ! Comme ce petit vieux est pittoresque ! » Non, j'ai horreur de ce genre de sentiment-là. Pas ça, mais plutôt ce que moi-même cherche au cinéma ou en me passant un disque : le frisson, la chair de poule. Je ne sais pas si j'y suis parvenu. Je dirais oui pour trois ou quatre films, et non pour les autres. C'est peu, 3-4 sur 17.

La période parisienne précédant le départ a été assez calme. C'était peut-être une erreur, mais sachant que j'allais partir pour faire des ambiances, plutôt que des sujets, je n'ai pas vraiment préparé. J'ai tourné le cent pour cent des sujets que j'avais préparés, c'est-à-dire deux ! Le tango et le dernier sujet en Ardèche. Donc, sur ce plan-là je ne peux pas me plaindre : en général, on a dix pour cent des sujets préparés, moi j'en ai eu cent pour cent, mais je n'en avais que deux.

Au moment où je suis parti de Paris pour le premier vol, j'ai ressenti le plaisir qui va m'être enlevé dans dix jours : pouvoir en foutre plein la figure, en images et en mots, aux téléspectateurs ; comme moi j'aime en prendre plein la figure au cinéma. Par exemple, quand Nougaro chante « Oh mon pays, oh Toulouse ! », il y a une impression, une émotion qui passe, qui fait que j'ai envie d'y aller voir. C'est un peu ça que j'ai voulu faire passer par les films, c'est donner l'envie d'aller voir.

Mario Bonenfant
CANADA

On m'a demandé si j'étais un vrai Québécois ! Pour ça, oui ! En plus je ne suis pas de Montréal, je suis de Trois-Rivières, sur le bord du Saint-Laurent, strictement entre Montréal et Québec.

L'esprit de famille est très fort chez nous. Mon père a quinze frères et sœurs ; on fait des réunions familiales, vous devriez voir ça, c'est dingue ! J'ai cinquante cousins, vous imaginez la famille quand elle se réunit pour des fêtes ! Il y avait un manquant cette année, le petit Mario. J'étais à la course.

Comment ça s'est fait ? Au départ, lorsque je me suis inscrit, ce n'était pas pour le voyage. C'était pour l'expérience cinématographique. Une fois sélectionné, comme je suis de Trois-Rivières, c'était difficile d'avoir des relations avec les gens de Radio-Canada, Claude Morin et Richard Gay. Il fallait souvent faire l'aller et retour, je le faisais « sur le pouce [1] ».

Ils voyaient que j'avais des lacunes, j'en étais parfaitement conscient, je me sentais un peu le petit. Claude Morin a insisté pour que je lise des revues, il m'a plongé dans le bain.

Puis, avec Georges Amar, on est partis pour Paris. J'y étais déjà venu deux ans avant avec une chorale, « les petits chanteurs de Trois-Rivières », qui ont joué un grand rôle dans ma vie. Ça fait dix ans que je fais partie de cette chorale : avec eux j'ai appris la musique, j'ai aussi appris la discipline, j'y ai fait mes classes primaires. Par la suite je ne chantais plus dans la chorale mais je la suivais comme photographe. Et, en 1980, lorsque les

---

1. Formule québécoise pour « auto-stop » sans franglais.

14

chanteurs sont venus en Europe, j'ai voyagé avec eux à travers la France, la Belgique, l'Allemagne et la Suisse.

Et voilà que je retrouvais Paris et qu'on faisait connaissance avec les six Européens de la course. C'est bizarre de rencontrer des gens avec qui on va faire une émission pendant un an et de n'être avec eux qu'une semaine. Ça accroche avec certains. D'autres ont été plutôt froids.

Avec l'équipe, j'ai trouvé ça sympa. Grâce à elle, j'ai travaillé à Paris, j'ai participé à la vie. Les personnes de l'équipe, il faudrait les passer l'une après l'autre en revue. Évidemment, il y a Noëlle, « Nouche ». On la voit en chair et en os, après on lui parle au téléphone toutes les semaines, c'est une relation spéciale, exceptionnelle. Je crois que si on a du succès dans la course, c'est un peu à cause d'elle. On dit qu'il y a une femme derrière chaque succès, ça peut être vrai dans la course !

Il y a Lee et Jean-Jacques qui sont des gars très sérieux. Et les monteurs aussi. D'abord Annie puis Benoît Jacques. Avant qu'il prenne mes films en charge, j'avais eu une très bonne relation avec lui. On a beaucoup de traits communs, on est passionnés de la technique, on n'est pas des personnalités imposantes. Ce n'est pas comme Jean-Michel Boussaguet, avec lui ça n'a pas cliqué. On m'a dit qu'il était timide, moi aussi je suis timide et deux timides ensemble...

Je l'ai revu hier. Maintenant j'ai beaucoup de plaisir à être avec lui, il connaît merveilleusement bien son boulot et, s'il nous bouscule un peu, je crois qu'il les aime bien, ses « minous ». Cela, je le comprends seulement maintenant mais avant la course j'avais un petit sentiment d'infériorité. Je n'avais pas peur, mais je ne savais vraiment pas ce qui m'attendait. Je partais à l'aventure, inconscient. J'étais prêt, c'était la suite logique des choses, ça fait des mois qu'on pense à partir, tout d'un coup la cloche sonne, tu t'en vas.

Anne-Christine Leroux
FRANCE

Le voyage pour moi est une histoire trop vieille pour que je puisse l'oublier. Je me souviens de ces vacances passées avec mes cousins dans la maison de ma grand-mère. On organisait des expéditions à bicyclette, des nuits sous la tente. On rentrait le soir, fourbus et la faim au ventre mais du vent et du bonheur plein les yeux !

Depuis, je suis partie tous les ans, et à vingt-deux ans je me sentais m'embourber dans la mélasse universitaire. C'était intéressant la maîtrise d'anglais, mon travail de recherches, mais je ne supportais pas de rester huit heures par jour enfermée à la Bibliothèque nationale sans rien voir, sans rencontrer personne. J'étouffais, j'avais envie de trop de choses, je m'intéressais à trop de domaines pour accepter de me limiter à un seul.

Il fallait que je fasse quelque chose avant de couler véritablement ! J'ai téléphoné à la course pour savoir comment y participer et je me suis lancée... Ça a été épique d'un bout à l'autre !

Parce que je voulais partir... mais c'était bien la seule chose que je savais ! Jamais je n'avais tenu de caméra de ma vie, le cinéma ne m'intéressait pas outre mesure. Je n'avais aucune formation visuelle, théorique ou pratique. Alors j'ai foncé chez Kodak qui organisait une sorte de mini-stage en trois soirs... Suffisant pour nous faire piger en gros film et montage...

Dès que j'ai reçu mon dossier, je suis partie à Amsterdam. Ç'a été mon vrai départ. C'est le seul moment pendant la course où je me suis sentie complètement dépaysée ! C'est un monde à part entière, le centre d'Amsterdam. C'est le rendez-vous de tous les paumés, les drogués, les révoltés. On en a tous vu, mais là, ça prend un caractère extrême. Les gens ont un aspect différent, quelque chose d'étrange, d'insolite, d'un peu inquiétant même.

Parmi eux j'ai rencontré mon « drôle d'oiseau », ce garçon qui s'était fait squatter. La municipalité avait voté la destruction d'un des derniers espaces verts de la ville. Pour protester, il avait construit sa maison dans les branches d'un arbre. Le plus drôle c'est que le parc avait quand même été détruit... Sauf son arbre, qui se retrouvait tout seul au milieu d'un terrain vague ! La loi anti-squatter le protégeait. Elle disait que tout logement non habité depuis deux ans pouvait être occupé : c'était le cas de l'arbre et on n'y avait pas touché ! J'ai adoré le tournage de ce film, c'était vraiment mon film : j'ai tout fait moi-même jusqu'au mixage. De tous les reportages, c'est un de ceux qui m'ont appris le plus sur les choses et sur moi-même.

Si je n'étais pas partie, ç'aurait été déjà une mini-course.

La période de préparation a été fantastique. J'avais l'impression de vivre un rêve, c'était un jeu et en même temps je me sentais vraiment confiante. Je pouvais ne pas être choisie, mais ça ne faisait rien, j'étais heureuse et j'attendais, tout simplement. Au moment où j'ai reçu mon avis de présélection, j'ai commencé à lire beaucoup d'articles.

Au mois d'août, Paris est international : j'ai rencontré une foule de gens, asiatiques, africains, et c'est surtout là-dessus que j'ai joué.

Mon itinéraire, je l'ai conçu en fonction des gens que j'ai rencontrés et des pays que j'avais envie de visiter.

De tous les sujets imaginés à l'avance, il y en a beaucoup que j'ai réalisés. J'étais même surprise, on m'avait dit : « Tu verras, tu en feras un sur dix. » En fait, j'en ai fait le tiers.

Le moment du départ, si vous saviez comme je l'ai attendu ! Je ne suis pas inquiète, ni peureuse. J'ai toujours aimé l'aventure, l'inconnu. Dans ce premier avion qui m'emmène vers Chypre, je ressens au fond de moi cette exaltation, cet enthousiasme de découverte que j'ai éprouvés à l'arrivée de chacune de mes étapes ; ce moment où, sans transition, on est projeté dans un univers complètement différent, où tout, couleurs, odeurs, bruits, est comme une gifle que l'on reçoit en pleine figure ; car ça choque ! ça frappe ! ça réveille ! C'est comme un vent vif, neuf : on regarde avec des yeux plus grands, plus brillants, les joues rouges d'excitation et le cerveau en ébullition !

STATIONS	TÉLÉ-GLOBE-TROTTERS	REPORTAGES	ACQUIT	JURY A2	JURY SRC	JURY RTL	JURY SSR	TOTAL SEMAINE	TOTAL	NOMBRE DE REPORTAGES	MOYENNE PAR REPORTAGE	PLACE AU CLASSEMENT ESTIMÉ
A2	A.-C. LEROUX	«Ombres chinoises» (Chypre)	–	–	31	30	29	90	90	1	90	1re
A2	J.-F. CUISINE	«Pearlies» (Londres)	–	–	32	27	24	83	83	1	83	2e
SRC	G. AMAR	«Les sauvages de Londres»	–	29	–	24	26	79	79	1	79	3e
SSR	R. GUILLET	«Brooklyn-Manhattan» (New York)	–	23	25	23	–	71	71	1	71	4e
RTL	A. BRUNARD	«Tving, une communauté qui bouge» (Danemark)	–	25	24	–	22	71	71	1	71	4e
RTL	M. de HOLLOGNE	«Impressions d'Islande»	–	31	18	–	21	70	70	1	70	6e
SSR	Y. GODEL	«Au Caire de la lune» (Égypte)	–	20	17	26	–	63	63	1	63	7e
SRC	M. BONENFANT	«Les touristes ne font que passer» (Portugal)	–	25	–	22	17	58	58	1	58	8e

18

Yves Godel
SUISSE

L'aventure a commencé par une grande frayeur quand j'ai vu les rushes de mon film d'éliminatoire : les trois quarts des plans étaient flous, l'image tremblait, je n'ai jamais compris pourquoi. Je filmais avec la caméra de Thierry Dana, qu'il m'avait gentiment prêtée. Quand je me suis visionné ça seul chez moi, c'était vraiment terrifiant, je me suis dit que c'était fini. J'ai téléphoné à Thierry. Il m'a répondu : « Ne t'inquiète pas, ils sont capables de faire des miracles au montage ; va à Paris, sois positif et c'est tout. » Effectivement, je suis allé à Paris, mais vraiment sans espoir. Quand j'ai vu le montage du film, le boulot formidable qu'avait fait Annie, j'ai remonté un peu la pente, et aussi en voyant les films des autres, je dois dire, sans méchanceté à leur égard...

Puis on s'est retrouvés sur le plateau pour les éliminatoires de la Suisse. J'étais le quatrième à passer, j'ai été mieux noté que les trois précédents. En fait, au milieu de l'émission, je savais que je partais. Qu'est-ce que j'ai ressenti ? j'ai essayé de rester stoïque, surtout par égard pour les autres ; ils étaient juste à côté de moi, je sentais leur chaleur, je sentais leur émotion, je ne voulais pas exprimer la mienne. Il y avait quelques journalistes sur le plateau et je sentais que par rapport aux autres candidats, nous les Suisses on faisait moins peur que les années précédentes, déjà à l'avance.

Pour la préparation, je me suis constitué un dossier de presse à partir de différents hebdomadaires et je me suis retrouvé avec une cinquantaine de sujets, qui ont déterminé mon itinéraire. Bien sûr, la part de rêve était importante aussi. Il y a des pays comme le Japon, la Nouvelle-Zélande, qui font rêver. Rétrospectivement, je regrette de ne pas être allé dans certaines régions, comme la Terre de Feu, le pôle Nord.

Au moment où j'ai pris le premier avion, j'ai ressenti un grand soulagement. L'attente à Paris était devenue insupportable. J'avais hâte d'être dans le bain, de me débrouiller dans la vie concrète. Alors, quand je suis monté dans le premier avion, ce fut un ouf, un ouf qui n'a pas duré très longtemps, l'espace de Paris-Le Caire.

Le premier contact avec Le Caire fut mon premier contact avec la course autour du monde, et ça n'a pas été très réussi ! Je suis arrivé à l'aéroport avec mon matériel, tout neuf et tout propre, à une heure du matin. Les douaniers dormaient plus ou moins, on les a réveillés. Du coup, quand ils ont vu ma grosse caisse noire, ils ont voulu l'ouvrir. Ma valise remplie de films, ils l'ont ouverte aussi, et évidemment ils m'ont dit d'attendre, qu'ils allaient s'occuper de moi. Ah ! ils s'en sont bien occupés. Ils ont tout fouillé, ils ont évalué le nombre de bobines, j'en avais 150, ils ont rapporté au chef de la douane que j'en avais 1000, ce qui n'a pas arrangé les choses. Ils voulaient mettre tout mon matériel au dépôt. Mais, en suivant les bons conseils qu'on m'avait donnés avant de partir, j'ai dit : « Non, non ! » J'ai vraiment joué la forte tête, et j'ai rajouté : « Ecoutez, si vous mettez ça au dépôt, moi je dors au dépôt. » Ils m'ont répondu : « C'est interdit, c'est exclu. »

J'ai repris tout mon barda et je suis resté dans l'aéroport. Mon seul espoir, c'était de rencontrer le chef d'escale d'Air France, la seule personne qui parlait français. Il était une heure et demie du matin à peu près. Je m'assieds, je vois une énorme horloge. C'est une image qui me restera toujours. Je fixais cette horloge et ses grosses aiguilles qui la faisait vibrer. Je me suis dit : « Maintenant commence la course. » J'ai attendu jusqu'à onze heures du matin. Lorsque le chef d'escale est arrivé, je lui ai expliqué mon cas. Il a essayé d'arranger les choses le plus vite et le plus efficacement possible. Résultat : j'ai eu droit de prendre avec moi dix bobines de films, un micro, un walkman, ma caméra et mes effets personnels, tout le reste a été gardé au dépôt de la douane. Enfin, j'ai tout retrouvé à la sortie d'Égypte.

Après, il me fallait trouver un sujet. J'avais prévu un reportage sur une campagne de dératisation qui se déroulait dans le nord du pays. J'ai pris quelques contacts. On m'a dit que ça se passait dans des petits villages assez dangereux où le touriste est mal accepté, et les caméras encore plus mal. En fait, on m'a très vite dissuadé de la faire. Il fallait une autre idée. Je voulais parler du côté calme de l'Égypte en allant dans un couvent chrétien en pays musulman. C'est ce qui m'a poussé à faire mon film avec les bonnes sœurs.

C'était inespéré : pour un homme, entrer dans un couvent, c'est pas une mince affaire, encore moins dans un pays musulman ! Eh bien j'ai été très bien accueilli.

Personne, à l'antenne, n'a relevé le fait que je me sois retrouvé seul en tête à tête avec une sœur dans sa chambre ; moi je ne pense pas que ça m'arrivera une seconde fois dans ma vie ! Ç'a été une grande expérience, ce film j'ai adoré le faire, j'avais envie de faire des images esthétiques, parce que je trouvais très beau ce côté paradoxal des Arabes qui sont chrétiens. En fait, ce couvent est une école française où les élèves musulmans et chrétiens sont mélangés et où les sœurs sont d'origine égyptienne. C'était très bizarre pour moi de ne me retrouver qu'avec des femmes et d'être si bien accueilli dans cette communauté. Peut-être est-ce parce qu'elles appliquent tout simplement les préceptes de l'Évangile. Et puis je crois que les sœurs ont voulu me montrer à quel point le couvent était ouvert.

J'étais assez content d'avoir fait ce film, je trouvais que le sujet était original. Les sujets religieux, mis à part les sectes, sont assez peu traités. J'ai téléphoné à Paris. On m'a dit : « Oui c'est super, cette année, les Suisses ça repart, pas de problème. »

Je m'étais un petit peu monté la tête. Plus tard j'ai appris que j'avais 63 points et que j'étais septième, on m'a dit : « Ne t'inquiète pas, tout va bien, c'est normal. »

Moi je ne trouvais pas du tout ça normal, c'était le premier choc.

Georges Amar
CANADA

J'ai pensé longtemps à l'avance à cette course. Je regarde l'émission depuis quatre ans, presque tous les samedis. Je m'étais déjà présenté l'an dernier. J'étais arrivé, je crois, parmi les dix premiers, mais on ne m'avait pas retenu. Alors, compte tenu de mon peu d'expérience cinématographique, je m'étais dit que si je forçais un peu plus, j'aurais peut-être des chances cette année. Cela s'est vérifié, puisque j'ai été l'un des deux Canadiens choisis.

Aussitôt qu'on arrive à Paris, pour la préparation au départ, on a envie de rencontrer les autres d'abord. On a lu leur dossier, on a entendu parler d'eux, mais on ne les a pas vus. On essaie de deviner qui va gagner, qui ne va pas gagner, je crois qu'il y a toujours ce jeu-là au début. Moi, j'avais misé sur Raphaël Guillet. Il me paraissait assez sûr ; il avait un bon esprit de synthèse, je pensais qu'il allait aller très loin. C'est peut-être parce que j'étais ami avec lui ; on se voyait très souvent. Puis, lorsque cette période est dépassée, on est très excité, il faut acheter le matériel, il faut faire très vite parce qu'on arrive en France les mains vides. On n'a même pas un magnétophone.

Puis est venu le premier avion, le premier vol ; j'étais très exalté mais j'avais très peur aussi. Très peur à l'idée que nos films allaient être vus par des millions de gens. J'avais des sujets préparés, ils sont tombés à l'eau. Je crois qu'inconsciemment, je le voulais, je retardais le déclenchement de la caméra... Je suis resté cinq jours sans rien faire. La peur de sauter le pas. Le samedi, je n'avais toujours rien tourné à Londres. C'était la veille de la remise des films, il fallait absolument faire quelque chose. Alors, en pensant à mon film sur Harlem pour les éliminatoires canadiennes, je me suis dit qu'à Brixton, le quartier des Noirs, je pouvais peut-être risquer quelque chose de semblable. Ça a marché. J'ai comme rompu l'enchantement. Je crois que le deuxième film est beaucoup plus facile à faire.

Si je suis resté en Europe pour le début de la course, ce n'était pas pour une raison de sécurité, mais plutôt par stratégie. Je ne voulais pas sauter directement dans l'exotisme, vers les pays difficiles. J'ai voulu commencer par ordre croissant de difficulté. C'est peut-être le mathématicien qui est reparu chez moi et qui a suivi un raisonnement logique.

Alain Brunard
BELGIQUE

Lorsque j'ai pris l'avion pour le Danemark, pendant l'heure et demie qui m'a amené à Copenhague, je pensais à mille choses. J'avais foncé vers cette course, tête baissée et là, je commençais à prendre conscience lentement que je la faisais. J'ai éprouvé une étrange impression, je me demandais si j'allais pouvoir tenir le coup. J'étais très angoissé et je le suis resté tout au long de la course.

Arrivé à Copenhague, je fais ma première interview. Je n'avais jamais touché à une caméra avant mon film de sélection pas plus à un appareil de photos. Je ne savais rien. Deux jours avant mon départ, un de mes amis qui s'occupe de cinéma, m'avait expliqué comment brancher un micro sur la caméra. Il avait marqué mes fils avec de petites fiches : « fiche A à introduire dans fiche B, fiche B à introduire, etc. ». Pour cette première interview, quand j'ai dit : « Je travaille pour la télévision », et que je me suis mis à lire mes notes, les gens m'ont regardé avec de grands yeux, ils ne comprenaient pas très bien ! Après, tout s'est très bien passé. J'ai eu peur pour ce premier sujet, j'étais persuadé que je n'allais jamais y arriver, surtout au niveau technique. Je me suis dit : « Si je dois passer cinq mois comme ça, ça va être terrible... »

J'avais appris qu'au Niger j'aurais besoin d'autorisations pour filmer. J'arrive à Niamey, où je devais prendre un autre avion pour Agadès, situé dans le nord du pays, parce que j'avais décidé de faire un sujet sur les Touareg.

Lorsque je présente à l'aéroport mon billet réservé depuis Paris, on me dit : « Ah, non, nous ne faisons pas les billets d'Air France, vous ne pouvez pas partir à Agadès. »

J'étais affolé, il me restait cinq jours pour faire mon sujet, c'était ma première vraie étape. Les ennuis commençaient... Déjà, à l'aéroport on m'avait paumé une valise qui avait continué sur Dakar et qui ne reviendrait que trois jours après. J'avais eu l'idée de prendre des films dans mon sac, heureusement.

Donc, ils me refusent l'embarquement. Je me précipite au centre de la ville à la compagnie Air Niger pour demander des explications. C'était un malentendu : les billets émis par Air France étaient acceptés depuis deux jours seulement et ils avaient oublié de prévenir l'aéroport.

Je décide de profiter de cette journée pour obtenir une autorisation de filmer comme on me l'avait conseillé. J'arrive au ministère de l'Intérieur. J'explique à un planton que j'aimerais être autorisé à filmer. « Impossible, il vous faut deux semaines. »... J'insiste. Alors il me fait remplir un papier tout en sachant très bien que mon autorisation de filmer, je ne l'obtiendrais pas. Je monte au deuxième étage, je tombe sur une secrétaire qui me dit elle aussi : « Vous savez, il faut un certain temps... » Je commence à comprendre que ça ne sert à rien, que je ne pourrais rien filmer dans ce pays-là. Tout en me baladant dans les couloirs du ministère, j'aperçois une porte avec une plaquette : « Ministre de l'Intérieur. » Après quelques ruses pour éloigner le planton de service, je frappe à la porte. « Entrez ! » Un immense bonhomme derrière un immense bureau me regarde, il ne comprend pas ce que je fais là. Il hésite : « Oui ? » Et moi je me précipite : « J'ai quelque chose de très important à vous dire, monsieur le Ministre, je voudrais vous parler... — Bon, asseyez-vous. »

Je lui explique l'histoire de la course autour du monde. Il commence à se prendre de passion pour l'idée. Il fait claquer ses doigts, il appelle sa secrétaire et lui dit : « Il faut lui donner une autorisation de filmer sur-le-champ. » Il fait même mieux, il envoie un télex à Agadès, parce que je serai le premier étranger, depuis trois mois, à pénétrer dans cette zone, considérée comme zone de guerre, les Libyens voulant, paraît-il, mettre la main dessus. Des militaires m'attendront en jeep.

A Agadès, il faisait 45° à l'ombre ; c'était ma première grosse chaleur, difficile à supporter. On part à la recherche des Touareg en transhumance. Ce fut extraordinaire, j'ai vécu avec eux cinq jours passionnants. J'avais eu la bonne idée de prendre un polaroïd, j'ai pris des photos des enfants. Je les déposais sur le sable, ils voyaient leur visage qui apparaissait, ils étaient fous, ils criaient, ils sautaient. Petit à petit, j'ai lié contact avec le chef de la tribu. Au bout de quatre jours, il est venu avec un chameau et, par l'intermédiaire d'un traducteur, il m'a demandé si je ne voulais pas rester avec eux. Il m'offrait son chameau, et il m'offrait sa fille ! Je ne savais plus très bien où j'en étais.

En plus, dormir la nuit, dans le désert, avec le vent qui souffle, c'est quelque chose que je n'oublierai jamais. Le chef ne voulait plus que je m'en aille. J'ai attendu la nuit, j'ai sauté dans la jeep avec les militaires et on est partis.

A Dakar, ma sœur m'a téléphoné. J'ai appris les points de mon premier film sur le Danemark que je trouvais très mauvais. J'ai su que j'étais quatrième au classement, ça m'a donné du courage. J'ai repris l'avion d'Air France pour Rio.

Pour moi, Rio représente un mythe depuis que je suis tout petit. Je rêvais d'aller au Brésil pour la musique, pour les filles, pour tout ; et dans cet avion, je me souviens, c'était extraordinaire ; on allait atterrir à Rio, c'était le matin, j'entendais une musique brésilienne, mon rêve d'enfant se réalisait.

Anne-Christine Leroux
FRANCE

A Chypre, je ne connaissais rien ni personne. J'avais juste eu, la veille du départ, l'adresse d'une journaliste de Radio-Canada. Dès mon arrivée, vers sept heures du soir, je lui ai téléphoné. Je suis arrivée par Larnaca, elle était à Limasol, je l'ai rejointe le lundi, j'ai passé toute la matinée avec elle. Elle me proposait des sujets trop sérieux ou trop politisés.

En feuilletant de petits bouquins, je suis tombée sur les karagiozis, les montreurs de marionnettes, je lui en ai parlé, elle ne connaissait pas. Le livre était de parution récente, donc ça devait encore exister. En parlant avec elle, je me suis rendu compte qu'il fallait que j'aille à Nicosie, c'est le centre nerveux de toute l'île. Donc, c'est là que je suis partie. Elle m'a donné les coordonnées d'un journaliste très pro-français avec lequel j'ai pris rendez-vous dès mon arrivée.

On s'est retrouvés dans une taverne incroyable, dans la plus pure tradition chypriote. Tous étaient ronds comme des barriques, s'enfilaient verre sur verre, se tapaient dans le dos et éclataient en gros rires gras. Deux guitaristes chantaient des chansons paillardes que toute l'assemblée répétait en braillant... Allez discuter dans un vacarme pareil ! J'entendais à peine quelques réponses de mon journaliste, hurlées par-dessus le tapis de bouteilles vides : « Comment ? Au festival de Nicosie ? Demain ? Un des derniers montreurs de karagiozis ? » C'est bon, j'irai !

Et le lendemain, j'ai filé voir ce vieux bonhomme. Il m'a parlé de son métier. J'ai passé tout l'après-midi avec lui et toute sa famille. Ils m'ont invitée, reçue, entourée et donné une sacrée leçon d'hospitalité.

Mais lui il habitait Nicosie et je voulais trouver un véritable montreur ambulant. Je savais qu'il en existait encore dans l'île. J'ai fini par obtenir l'adresse d'un « concurrent » dans le village de Paphos, à l'autre bout de l'île. J'y suis partie dès le lendemain matin. Je me déplaçais dans ces taxis collectifs typiquement chypriotes. C'était super ! On en fait des rencontres entre le vieux pépé, sec et ridé comme un tronc d'olivier, qui vous tient des discours interminables dont on ne comprend pas un traître mot, la grosse voisine en sueur qui se colle à vous par 30° à l'ombre et le petit monstre qui vous émiette son pain sur les cuisses en vous envoyant des coups de pied féroces à chaque fois qu'il se retourne !

Sauf quand vraiment je n'avais pas le temps, j'ai toujours emprunté les transports en commun. J'adore ça ! On y sent l'âme du pays et de ses gens, c'est une sorte de concentré animé et coloré, rempli d'odeurs qui parlent.

Arrivée à Paphos en début d'après-midi, je vais prendre un sandwich dans une buvette. C'est l'idéal, les cafés des petits bleds, quand on veut avoir des renseignements sur le pays ou sur les gens.

En un quart d'heure, j'ai obtenu l'adresse du type et un chauffeur pour m'y conduire le soir même. Je n'ai vraiment pas été déçue du détour ! Dans les collines, près de Paphos, le vieux bonhomme habitait une toute petite baraque à l'écart du village. Il vivait dans deux pièces avec sa femme, sa fille mongolienne et ses bêtes. Toute la maison embaumait la chèvre et la crotte de pigeon. J'aurais voulu un décor exotique que je n'aurais pas trouvé mieux ! Le vendredi, j'étais de retour à Nicosie et grâce à des journalistes chypriotes, j'ai pu tourner sur les lignes de démarcation et les camps de réfugiés.

2ᵉ SEMAINE DE COURSE

STATIONS	TÉLÉ-GLOBE-TROTTERS	REPORTAGES	ACQUIT	JURY A2	JURY SRC	JURY RTL	JURY SSR	TOTAL SEMAINE	TOTAL	NOMBRE DE REPORTAGES	MOYENNE PAR REPORTAGE	PLACE AU CLASSEMENT ESTIMÉ
SRC	G. AMAR	« Berlin Illusions »	79	33	–	31	26	90	169	2	84,5	1ᵉʳ
A2	A.-C. LEROUX	« Allah et la plante merveilleuse » (Yémen)	90	×	33	21	20	74	164	2	82	2ᵉ
RTL	A. BRUNARD	« Les seigneurs de l'éternelle errance » (Niger)	71	27	33	–	24	84	155	2	77,5	3ᵉ
SSR	R. GUILLET	« Saxo... litaire » (New York)	71	23	27	22	–	72	143	2	71,5	4ᵉ
A2	J.-F. CUISINE	« Rana-chronique » (Haute-Volta)	83	–	18	24	18	60	143	2	71,5	4ᵉ
RTL	M. de HOLLOGNE	Repos	70	–	–	–	–	–	70	1	70	6ᵉ
SSR	Y. GODEL	Repos	63	–	–	–	–	–	63	1	63	7ᵉ
SRC	M. BONENFANT	« Corrida portugaise »	58	19	–	19	21	59	117	2	58,5	8ᵉ

Georges Amar
CANADA

La deuxième étape c'est Berlin. Là, avec Berlin, je réalise un vieux rêve. Ça faisait très longtemps que je voulais aller à Berlin. Depuis que j'étais jeune le « mur » me fascinait. Berlin, pour moi, c'est ce mur, c'est aussi du romantisme, ça représente beaucoup de choses, Berlin. Je suis arrivé un dimanche à Berlin, la première des choses que j'ai voulu voir c'est le mur... Je demandais à tout le monde où il se trouvait. Une fois devant lui, je suis resté plusieurs heures à le regarder, à le toucher et à méditer. Je suis revenu le lendemain, j'ai tourné autour du mur et, à ma grande surprise, j'ai découvert une ferme. Une ferme avec des cochons, des vaches et des petits enfants qui jouent. Ce qui était curieux c'est qu'elle était tout près du mur. De l'autre côté, on voyait Berlin-Est et des Allemands qui nous saluaient, des Allemands de l'Est. Je trouvais que c'était un sujet en or. Il m'est venu vraiment par hasard, ce n'était pas du tout un sujet préparé. Les écologistes ont cherché à reconstituer un coin de campagne au milieu de la ville, parce que, pour trouver une ferme, il faut qu'ils traversent plus de trois cents kilomètres pour aller dans la zone ouest. Ils doivent prendre l'autoroute, ils n'ont pas le droit de bifurquer, ni à gauche ni à droite. Alors des jeunes, un peu marginaux, ont construit ces fermes un peu partout à Berlin, malgré que la police leur ait demandé de partir. Actuellement, elles existent toujours. Peut-être pas pour longtemps.

Ce début de course, c'est bon pour moi. J'ai confiance. Au début, j'avais misé sur Raphaël Guillet, mais sur moi aussi, je l'avoue. Il y avait des tas de gens qui avaient misé sur moi : l'entourage, Radio-Canada. On me disait : « Tu peux, Georges. » C'est toujours ce qu'il faut dire à quelqu'un et j'étais sûr de moi.

Après Berlin, je devais aller à Tel-Aviv. Je n'y suis pas allé parce qu'il y avait des problèmes politiques. Mais je crois que c'est une erreur parce que j'aurais fait un film qui n'était pas du social. On m'a reproché par la suite de faire trop de social. A Tel-Aviv, j'avais un petit sujet sur des souris qui était très original, cela aurait été un film humoristique, je crois que cela aurait varié un peu mes reportages. Finalement j'ai été directement vers la misère, vers Karachi.

3ᵉ SEMAINE DE COURSE

STATIONS	A2	SRC	RTL	A2	SSR	SSR	RTL	SRC
TÉLÉ-GLOBE-TROTTERS	A.-C. LEROUX	G. AMAR	A. BRUNARD	J.-F. CUISINE	Y. GODEL	R. GUILLET	M. DE HOLLOGNE	M. BONENFANT
REPORTAGES	«Le mil» (Cameroun)	«La maison du bonheur» (Pakistan)	«Les Griots du Mali»	Repos	«Sénégaule» (Sénégal)	«Hacienda au Venezuela»	«Lettre à ma mère» (Singapour)	Repos
ACQUIT	164	169	155	143	63	143	70	117
JURY A2	–	27	24	–	23	23	18	–
JURY SRC	32	–	24	–	27	20	17	–
JURY RTL	32	21	–	–	25	20	–	–
JURY SSR	26	24	23	–	–	–	15	–
TOTAL SEMAINE	90	72	71	–	75	63	50	–
TOTAL	254	241	226	143	138	206	120	117
NOMBRE DE REPORTAGES	3	3	3	2	2	3	2	2
MOYENNE PAR REPORTAGE	84,7	80	75,3	71,5	69	68,7	60	58,5
PLACE AU CLASSEMENT ESTIMÉ	1ʳᵉ	2ᵉ	3ᵉ	4ᵉ	5ᵉ	6ᵉ	7ᵉ	8ᵉ

Marc de Hollogne
BELGIQUE

Je suis un amoureux du cinéma depuis très longtemps, amoureux à la fois de l'image, du son, de la musique, du théâtre aussi... Cela fait beaucoup ? — Pour moi, cela ne fait qu'un ! Ce que j'essaie de réaliser depuis deux-trois ans, c'est d'arriver à tout mélanger ! Des acteurs sur scène qui dialoguent avec des écrans... le tout synchronisé, moulé grâce à la musique. C'est trop visuel pour que j'arrive à vous le décrire comme cela !

Au départ, l'émission, je ne la connaissais pour ainsi dire pas. J'ai cru que mon bagage scénique me servirait. Vous pensez ! Entre remplir un café-théâtre et faire l'andouille devant plusieurs millions de téléspectateurs... je n'avais pas compris les règles du jeu. Le reportage... très peu pour moi !

Réaliser une fiction chaque semaine, je ne pense pas que cela soit impossible. C'est une question d'organisation. Mais, finalement, il semblerait que les téléspectateurs ont lu entre les lignes ! Même si ce que j'envoyais à Paris me semblait d'un soporifique ! En fait, c'est simple. Dans cette course, il fallait faire un choix. Soit vous roulez près du trottoir, et vous réalisez des reportages dits « classiques », bien carrés, scolaires, ce qui n'est pas évident à mettre en boîte, soit vous décidez de conserver votre identité propre, d'imposer un style différent. L'erreur à ne pas faire, et que j'ai commise... c'est de rester entre les deux. De ne pas avoir choisi ! D'attendre. Voilà pourquoi j'ai le sentiment d'avoir été fade, mièvre... comme d'autres, de ne pas avoir pris assez de risques. Enfin, on ne voit que ce que l'on croit.

Je pars, je prends le premier avion. Pour moi ce ne fut pas comme pour certains... une découverte. Grâce à la profession de mon père, je bénéficie de tarifs très réduits sur les lignes Sabena. J'avais donc déjà posé les orteils sur quasiment tous les continents. Cela m'a d'ailleurs joué des tours. Le contexte de la course est si particulier, que cela ne ressemble en rien au voyage tel qu'on le conçoit normalement. Je m'imaginais une fois de plus posséder un avantage sur les autres...

Heureusement, j'étais curieux de découvrir l'Islande. Une terre volcanique se trouvant près du Groenland... plutôt singulier, non ? Pourtant, l'Islande ne m'a pas laissé un souvenir impérissable. Peut-être parce que je suis repassé par Paris. Ce n'était pas encore Singapour ! Pendant la course, je me suis pour ainsi dire toujours trouvé à côté de mes pompes. En Islande, je ne ressentais pas encore l'envie de décamper le plus vite possible de l'endroit où je me trouvais. Envie qui ne m'a pas quitté pendant les trois premiers mois ! En Islande, ce n'était pas encore le toboggan. J'ai apprécié ce pays, sa campagne. Et j'estime y avoir réalisé l'un de mes meilleurs films.

Je déconseille de repasser par Paris avant de se projeter dans la course. J'ai revu famille et amis. La valise d'Islande n'avait rien de comparable avec les tonnes emportées vers l'Asie. Vers Singapour. On s'est étonné : « Tu as fait un fameux bond. Deuxième semaine de course et te voilà déjà à Singapour ! » Je voulais débarquer le premier en Australie. Sachant que tous les candidats y défileraient. Donc ne pas m'attarder en Europe, ne pas tourner de film en Inde non plus. Un tiers du trajet en un coup d'aile... encore une erreur ! Trop vite trop loin ! Quel plongeon !

Singapour... première solitude... première peur. Le gouffre ! Infect ! Ce carrefour du business mondial pue une Asie qui n'a plus rien d'asiatique. Chinois, Malais et Indiens se disputent ce que le Blanc n'a pas encore exploité. Ville champignon, les buildings s'élèvent jour et nuit ! Complètement débile. Ahurissant ! Cafard... déprime. Cette moiteur constante qui vous colle à la peau. J'ai cuit dans mon jus. Faut dire que c'était le début, et qu'au début (lorsque, comme moi, l'on n'a pas préparé ses sujets), on joue à colin-maillard. On hésite, on va, on touche à n'importe quoi. Pas gai du tout ! On se plante. Royalement ! Un film nul, mais qui m'a tout de même permis d'obtenir le plus mauvais score de l'année. J'y tiens ! Un film tourné en une demi-journée. J'ai sauvé les meubles, mais, du même coup, j'ai paumé la confiance de l'équipe à Paris.

Yves Godel
SUISSE

Je garde un assez mauvais souvenir de l'Afrique. A mon avis, ce n'est pas un continent qui s'adapte à la course autour du monde et à toutes ses règles, notamment celle de la vitesse. L'Afrique est un pays lent.

J'ai été extrêmement déçu de l'Algérie, d'Alger plus précisément. Il y a une espèce de psychose qui règne dans cette ville, très désagréable. Je ne sais pas si ça peut vraiment s'expliquer. Est-ce dû au gouvernement, à l'Histoire, je ne sais pas, mais les gens l'avouent eux-mêmes, Alger devient quelque chose d'invivable.

J'avais l'adresse d'une organisation pour la protection de l'enfance. Là, les gens étaient très gentils, très polis mais absolument inefficaces.

J'avais l'idée d'aller à El Asnam, deux ans après le tremblement de terre. Je cherchais quelqu'un qui pourrait éventuellement m'aiguiller un peu, mais je n'ai trouvé personne que ça intéressait vraiment. Ça m'a étonné parce que ç'aurait été un bon sujet, notamment pour l'Algérie.

Après, ces mêmes personnes m'ont envoyé chez le directeur du Croissant Rouge, en m'assurant qu'il m'aiderait et m'accueillerait les bras ouverts, que c'était vraiment la bonne adresse. J'ai débarqué, j'ai attendu deux heures qu'on veuille bien me recevoir, je n'avais pas pris rendez-vous, je dois l'avouer. Le directeur m'a demandé d'être bref. J'ai expliqué toute la course en deux minutes : nous sommes des amateurs, on n'a qu'une semaine pour faire un film, je cherche à faire un film sur El Asnam, les films sont montrés sur quatre chaînes de télévision.

Il écoutait ça d'une oreille distraite et m'a dit d'une manière très désagréable que mon projet ne l'intéressait pas du tout, qu'en plus, j'aurais dû prendre rendez-vous. Il m'a raccompagné plus ou moins de force et m'a claqué la porte au nez. Je ne me souviens pas de son nom et je ne cherche pas à m'en souvenir. Je tombais complètement des nues, vraiment je ne comprenais pas. Je pensais que le Croissant Rouge devait être une organisation sociale ouverte. Enfin, voilà, c'est un des seuls souvenirs d'Algérie qui m'ait vraiment marqué. Heureusement, j'étais dans ma semaine de repos, sinon c'était la catastrophe.

Après je suis allé au Sénégal. J'étais intéressé en Basse Casamance par un projet qui consiste à intégrer le touriste dans la population. Il fallait descendre tout au sud du Sénégal, traverser la Gambie, c'est un voyage incroyable ! De plus il y avait un problème pratique ; c'était l'époque de la Tabaskie, la fête musulmane la plus importante, qui désorganise tout le pays, toutes les communications en bus. On était le jeudi et je devais rendre le film le samedi pour le vol sur Paris. J'avais déjà perdu un jour entier pour descendre en Casamance. J'ai donc passé une nuit là-bas et je me suis retrouvé à six heures du matin devant un dilemme. D'une part, on était hors saison. Il n'y avait pas de touristes, ce qui altérait déjà une partie du sujet, en limitant les opinions. D'autre part il fallait trois heures de voiture pour se rendre dans un de ces villages et je voulais aller aussi au Club Méditerranée, qui est un peu en concurrence avec cette forme de tourisme. Ça aurait pris trois heures de plus, donc la journée y passait. En plus, on m'a dit : « A partir de demain, il n'y aura plus de bus pour retourner à Dakar. »

J'ai fait mes calculs, ça ne collait pas, je n'avais pas le temps de faire ce sujet, ou, en tout cas, pas le temps de l'envoyer. Je suis donc reparti à « toute vitesse » sur Dakar. Trois cents kilomètres, j'ai mis quelque chose comme quatorze heures, en changeant peut-être huit ou dix fois de voiture. Je suis arrivé à Dakar le vendredi soir et je devais envoyer mon film le lendemain par le vol de quinze heures.

Lors de mon premier passage à Dakar, j'avais repéré l'île de Goré. Je m'y étais rendu, j'avais trouvé ça très beau. Alors, vendredi soir, je me décide, je vais sur l'île et j'essaie d'avoir des contacts. J'ai rencontré une femme qui aurait fait un excellent sujet : une grosse vieille Sénégalaise qui avait tourné dans *Adèle H*, le rôle de la nourrice. Mais elle n'avait pas le temps, elle préparait justement la fête.

Pour finir, je suis tombé sur celle que l'on pourrait appeler « ma sauveuse », un juge d'instruction qui vit dans une ancienne maison d'esclaves. Je savais que l'île était connue pour ses anciennes esclaveries, c'était ça ou rien. Ce qui m'a attiré aussi, c'est le personnage extrêmement sympathique, extrêmement attentionné, qui m'a hébergé d'ailleurs, qui m'a calmé, qui m'a rassuré et ça, j'en avais besoin, Dieu sait à quel point ! J'ai donc commencé à tourner le samedi matin et j'ai écrit le commentaire, le plan de montage, le chapeau, enfin j'ai liquidé le film à peu près vers une heure de l'après-midi, le temps de reprendre le bateau, d'aller à l'aéroport, ça y était.

Juste après être rentré de l'aéroport, j'ai reçu un coup de téléphone de Paris qui m'apprenait le résultat lamentable du Caire et la septième place. Je me suis dit : « C'est mal barré. » Logiquement, je pensais avoir quelque chose comme 45 points pour le deuxième film, celui de Goré, et puis non, septante-cinq points ! O miracle, qu'est-ce qui se passe ? Ça je l'ai appris plus tard.

Anne-Christine Leroux

Au Cameroun, c'est la douche froide. Je venais du Yemen où je m'étais énormément plu. C'est magnifique. On dit que c'est l'Arabie heureuse et c'est vrai ! Il y a une atmosphère de contes des mille et une nuits... Après 20 heures d'avion, j'arrive à Douala et tout de suite j'ai senti ce malaise qui m'a poursuivie pendant toute la durée de mon séjour dans la ville. Rien qu'à se promener dans les rues, sans même s'adresser aux gens, on ressent physiquement une agressivité, un rejet, comme des ondes négatives qui émanent des gens. C'est vraiment très pénible. J'ai essayé de me sermonner, me disant que ça venait de moi, de la fatigue... Rien à faire, c'était là et il m'a fallu faire avec. Avec la corruption, le racisme, l'arnaque, l'hypocrisie...

Pendant deux jours, j'ai essayé de prendre l'avion pour le nord du pays, où j'avais rendez-vous avec un missionnaire. Il devait m'introduire dans une tribu qui vivait dans la montagne. J'ai bien cru que j'allais le louper, ce rendez-vous ! A l'aéroport de Douala, quand on veut prendre l'avion et qu'on a le malheur d'être blanc, une seule solution : il faut payer. Les types là-bas ne reçoivent qu'un salaire dérisoire, alors ils se rattrapent comme ils peuvent. C'est-à-dire que, réservation faite ou pas, dès qu'ils aperçoivent le nom d'un Blanc sur la liste de vol, ils l'échangent contre un nom factice camerounais et le Blanc ne pourra jamais monter dans l'avion. Jamais... à moins qu'il n'ait l'intelligence de comprendre que tout se règle un peu plus loin, sur le côté, derrière les bascules !... Un billet de 5 000 F, C.F.A. et le problème disparaît aussi facilement qu'il est venu !

Moi, ingénue, j'ai cru au prodige quand, après une heure d'attente, mon nom est tout à coup miraculeusement apparu sur la liste ! Ce n'est que dans la salle d'attente que le groupe d'hommes d'affaires grecs avec qui j'avais sympathisé dans le hall, m'a appris que j'étais devenue, pour l'occasion, la fiancée d'un des leurs. Pour 10 000 F C.F.A. Quand il y en a pour quatre, il y en a bien pour cinq, hein, chef ? Elle est mignonne, cette petite, non ? Et puis elle a l'air perdu ! On ne peut pas la laisser comme ça ! Les gens sont très facilement persuadés qu'une fille qui voyage est un pauvre petit oiseau qu'il faut protéger... Il s'agit de jouer le jeu : dans ce cas présent, je n'allais certainement pas les détromper ! Après tout, être une fille présente des inconvénients... alors, quand un avantage se présente, on ne va pas le laisser passer !

Dans le Nord-Cameroun, c'était complètement différent. Les gens sont gentils, souriants. J'ai eu du mal à le trouver, mon missionnaire ! Mais cette fois, j'ai eu des tas d'amis pour m'aider ! C'était une drôle d'expérience cette arrivée au village, dans la vieille carrosserie du père Tabart. J'ai eu l'impression de retourner des millénaires en arrière, à l'âge de la pierre. Ces espèces de cases perchées sur des rochers et ces gens à moitié nus qui faisaient fête au père.

Entre les choses que l'on sait et celles que l'on vit, il y a un décalage incroyable. Je savais ce que c'était que des cases, j'avais vu des photos de villages africains, mais jamais je n'aurais pensé qu'ils me paraîtraient si étrangers ! Je ne comprenais pas, c'était comme si un mur nous séparait. J'observais sans pouvoir pénétrer, j'essayais d'entrer dans le décor que je voyais. En vain ! Je me sentais complètement extérieure à tout.

Eh bien, je peux vous dire qu'après deux jours chez ces gens, à manger avec eux, dormir avec eux, parler avec eux, je les ai vus d'un œil bien différent !

Ce sont des gens d'une intelligence et d'une finesse remarquables ; on ne peut pas juger ça avec nos critères occidentaux. C'est tout en nuances, à peine perceptible, là-haut. Il faut arriver à passer de l'autre côté, à voir avec leurs yeux, à entendre avec leurs oreilles ; c'est si différent ! Ce n'est pas une lapalissade de le dire.

Ils nous paraissent proches parce qu'à la télévision on a déjà vu ces mêmes cases, ces mêmes rites, ces mêmes gestes. Mais eux n'ont pas la « télé », ils n'ont rien. Rien que leurs concepts à eux, leur monde à eux, pour essayer d'imaginer notre univers. Il faut comprendre que notre Europe est aussi loin d'eux qu'une planète lointaine l'est de la Terre. Imaginez des extra-terrestres cherchant à décrire leur monde, leur vie. Les mots leur manquent, nos concepts de terriens ne peuvent pas décrire leur réalité martienne.

Que pouvais-je répondre quand on me demandait comment c'était dans mon pays ? A quoi ressemblait l'intérieur d'un avion, et comment il faisait pour voler, pourquoi je portais des chaussures... Comment expliquer la neige, et la mer avec les vagues ? Que dire quand on me rétorquait en montrant les trous d'aération de mes baskets, que c'était le feu du ciel qui m'avait brûlé les pieds, dans l'avion ? J'essayais de raconter, mais les mots étaient gauches, maladroits, inadaptés à une réalité qui n'était pas la leur.

Dans leur langue, il n'y a pas de concepts abstraits, mais toute une spiritualité se cache derrière les mots, un langage extrêmement coloré, qui a recours à des images d'une grande puissance évocatrice. Elles ne parlent pourtant que de choses simples, concrètes, bien de ce monde. Leur religion, c'est les ancêtres et la nature : le ciel, la terre, et, surtout, le mil. Toute leur vie tourne autour du mil. Il règle l'activité de la tribu, sert de repère-temps, il nourrit, protège. Ils disaient : « Le mil, c'est la vie pour nous. Les ancêtres l'appelaient " le Fils du ciel ". » Mais je n'arrive pas à expliquer... des gens si vrais, si profonds... Ce sont de véritables amis que j'ai laissés derrière moi. Là-haut, il n'y a pas de place pour le mensonge ou le faux-semblant. Il y a d'autres dimensions. Elles sont grandes, naturelles, humaines. Ce sont des choses que ni les mots, ni les images ne peuvent traduire. Il faut être à l'écoute, sentir...

De retour à Douala, j'ai voulu traiter ce qu'on appelle « les veuves joyeuses », un sujet que j'avais préparé à l'avance. Ce sont des filles indépendantes qui viennent de la campagne où elles vivaient dans leur atmosphère familiale traditionnelle. Elles s'installent en ville et mènent une vie très indépendante, à l'occidentale. Ces filles sont jeunes, belles, extrêmement riches, elles sont veuves et ont beaucoup d'amants. Elles avaient épousé un homme riche qui a, disent les ragots, disparu de façon bizarre. Et si personne ne le dit jamais tout haut, on murmure tout bas, on les accuse d'empoisonnement, on prononce même très vite le mot de sorcière. Pour cacher un peu leurs revenus, ces filles ont ouvert un petit restaurant. Dans une atmosphère d'intimité, elles ne reçoivent qu'une clientèle d'amis, d'amis d'amis, des couples illégitimes, des gens qui veulent se rencontrer en secret, ou tout simplement des hommes d'argent qui viennent s'entretenir de leurs affaires en toute tranquillité.

J'ai eu un mal fou à trouver quelqu'un qui accepte de parler de ces veuves. C'est un sujet tabou dont personne n'ose parler... Ça pourrait attirer les représailles des intéressées. Et personne n'a envie de tenter l'aventure ! Enfin, à force d'insister, un Camerounais de l'A.F.P. — soit dit en passant, ceux de l'A.F.P. de Yaoundé ont été formidables avec moi, ils m'ont vraiment aidée — m'a finalement avoué qu'il en connaissait une. Il a accepté de m'aider mais on en a eu du mal ! Il a fallu mentir d'un bout à l'autre !

J'ai raconté que je faisais le tour de l'Afrique en collectionnant les recettes culinaires et que je voulais faire un petit film sur la cuisine camerounaise. C'est fou les ruses qu'il a fallu déployer pour préparer psychologiquement les gens à la caméra ! Je l'ai d'abord sortie, manipulée, montrée, fait admirer, et, progressivement, j'ai pu prendre un plan puis un autre, jusqu'à ce que je sois à peu près installée dans la place. Il ne me restait que les filles de cuisine à apprivoiser.

Je me souviens d'avoir laissé la caméra dix minutes dans la pièce avec elles. Quand je suis revenue, j'ai remarqué que ma lampe ne marchait plus.

34

Pourtant tout semblait en ordre ! Mais je n'avais pas le temps de m'arrêter à ce détail. Alors j'ai pris des films plus sensibles et j'ai continué à filmer en maudissant le sort qui me jouait ainsi des tours. Trois jours plus tard, j'apprenais que toutes mes bobines étaient noires ! Pourtant, j'en suis sûre, ma caméra m'indiquait que l'exposition était bonne. D'ailleurs, parmi les bobines tournées, j'en avais tourné une, moitié chez la « sorcière », moitié à l'hôtel où je logeais, et seule la partie filmée chez la bonne femme est noire !

Ce n'est qu'après, en réfléchissant, que je me suis rappelé les filles de cuisine qui ricanaient, l'arrêt soudain de la lampe... qui s'est d'ailleurs remise à fonctionner normalement dès mon retour à l'hôtel ! Je ne sais pas si on peut parler de sorcellerie, mais il s'est passé quelque chose de très bizarre, quelque chose en tout cas que je ne comprenais pas ! Toujours est-il que, quand je suis arrivée à Rio, un mardi soir à minuit, un télex m'attendait : « Ton film est noir, tu as vingt heures pour en refaire un autre et l'envoyer. »

Saint-Exupéry m'a sauvée puisqu'à Rio, il m'a envoyé son Petit Prince.

4e SEMAINE DE COURSE

STATIONS	TÉLÉ-GLOBE-TROTTERS	REPORTAGES	ACQUIT	JURY A2	JURY SRC	JURY RTL	JURY SSR	TOTAL SEMAINE	TOTAL	NOMBRE DE REPORTAGES	MOYENNE PAR REPORTAGE	PLACE AU CLASSEMENT ESTIMÉ
A2	A.-C. LEROUX	« Le petit prince de Rio »	254	—	21	23	23	67	321	4	80	1re
SRC	G. AMAR	« Les réfugiés afghans » (Pakistan)	241	23	—	21	22	66	307	4	76,7	2e
RTL	A. BRUNARD	Repos	226	—	—	—	—	—	226	3	75,3	3e
SSR	Y. GODEL	« Portraits new-yorkais »	138	27	28	28	—	83	221	3	73,6	4e
SSR	R. GUILLET	Repos	206	—	—	—	—	—	206	3	68,7	5e
A2	J.-F. CUISINE	« Le pouvoir parallèle » (Haute-Volta)	143	—	17	23	20	60	203	3	67,6	6e
RTL	M. de HOLLOGNE	« Les médecins volants » (Australie)	120	24	27	—	24	75	195	3	65	7e
SRC	M. BONENFANT	« Les fiancés berbères » (Maroc)	117	24	—	24	28	76	193	3	64,3	8e

Jean-François Cuisine
FRANCE

Mon départ est un faux départ. Le premier départ est pour Londres. Londres, c'est très proche, moins d'une heure d'avion. J'arrive à Londres avec Georges Amar et Marc de Hollogne. Marc, lui, poursuivant sur l'Islande... Alors ce départ, en fait, c'est la décontraction, après trois semaines de sélection, après un mois de préparation pour la course... une vie complètement folle. J'avais couru un peu partout pour trouver des caméras, pour avoir le meilleur équipement possible. Quand j'arrive à Londres, je me dis : « Bon, maintenant c'est parti, je vais enfin pouvoir m'accorder une bonne nuit de sommeil », et je me relève deux jours plus tard.

Londres, c'était normalement pour un sujet qui a complètement raté, tout simplement parce que les gens s'attendaient à me voir arriver avec une équipe complète. J'avais fait mes demandes, j'avais toutes les autorisations : c'était un sujet sur le retour des soldats britanniques des Falklands, il y avait donc énormément d'accords à obtenir. J'avais réussi à tout avoir de Paris avant le départ, mais quand ils m'ont vu arriver seul, ils m'ont dit : « Mais où est votre équipe ? » J'ai répondu : « Moi, je fais tout tout seul. » Ils m'ont dit alors : « Ça ne nous intéresse plus ! » Et il a fallu chercher un autre sujet.

Je l'ai trouvé grâce à des contacts pris par Roger Motte, l'année dernière. C'était les « perlies », ces personnages curieusement habillés de perles et qui sont les survivants d'une tradition ancienne du vieux Londres. Ça date du XIXᵉ siècle. Au départ, c'étaient des marchands ambulants. Il y avait entre eux beaucoup de rivalités. Des chefs s'étaient dégagés, ce furent les premiers à orner leurs habits de boutons, pour montrer qu'ils étaient les plus forts, et pour qu'on les voie de loin. Maintenant les perlies sont des gens qui ne font plus que récolter de l'argent pour des œuvres de bienfaisance.

Des jurés ont dit que c'était un sujet très touristique. C'est vrai qu'il y a deux sortes de perlies à Londres. Il y a ceux qui travaillent avec des agences de théâtre, qui sont de faux perlies puisque ce sont uniquement des acteurs de théâtre. Et puis, dans chaque quartier de Londres, il y a les vrais, les « perlikings » et les « perliqueens ». C'est héréditaire, ça ne se transmet que de père en fils, de mère en fille et toujours à l'aîné. C'est-à-dire que s'il y a dix enfants, il n'y a pas dix perlikings, il n'y en a qu'un. C'est exactement calqué sur le système de la Couronne britannique et de l'aristocratie. Ç'a été quand même un bon départ, puisque je me classe second à la suite de ce premier sujet de course. Je ne m'y attendais pas spécialement, je dois dire.

Et puis je repasse par Paris. J'ai atterri à dix heures du matin et je suis reparti à dix heures du soir. C'était juste le temps nécessaire pour déposer mes pellicules au bureau de la course et enregistrer mon commentaire. Je suis revenu en avance à Paris, je suis arrivé le jeudi alors qu'on était parti le dimanche. C'était pour prendre de l'avance pour le sujet suivant. Donc, là, c'était de nouveau la course dans la journée et, le soir, quand je me suis retrouvé à l'aéroport, emmené par ma famille, sur l'escalier roulant de l'aéroport de Roissy, j'ai eu une petite crampe à l'estomac parce que cette fois-là, c'était le vrai départ, et je me suis dit : « Bon, maintenant c'est parti pour cinq mois. »

En fait, j'ai toujours eu un petit peu peur des voyages, un petit peu peur de l'inconnu. J'aime assez avoir peur, mais un tout petit peu ; là, je dois dire que j'étais vraiment anxieux. Ça a commencé d'ailleurs par quelques problèmes : j'avais soixante kilos de bagages, et j'ai dû discuter pendant deux heures avec les hôtesses pour ne pas payer de supplément d'excédent de bagages. Après, j'avais mon gros sac pour entrer dans l'avion, qui contenait tout mon matériel fragile. Ils ne voulaient pas me laisser monter comme ça. Il a fallu que je discute encore... J'ai voyagé une partie du trajet avec mon sac sur les genoux, c'était le seul endroit où ils m'avaient autorisé à le mettre. Quand je suis arrivé en Côte-d'Ivoire, il m'a fallu cinq heures pour sortir de l'aéroport, parce que, quand il a ouvert ma valise contenant deux cents pellicules, le brave douanier ivoirien a vraiment bloqué !

Ce début africain n'a pas été terrible. Je crois que je me suis fourvoyé. C'était un pays que je croyais bien connaître puisque j'y avais vécu et que j'y étais retourné assez souvent. Je me suis senti peut-être un petit peu trop bien dans ce pays. Pour les reportages aussi ! Par exemple, le mil d'Anne-Christine : on m'aurait proposé ce sujet, je ne l'aurais pas fait, parce que le mil, ça m'aurait paru banal... Pourtant, c'est un des plus beaux sujets de la course. Quand son personnage dit : « Le mil, c'est la vie ! », c'est vrai, en Afrique, le mil c'est la vie. Mais ce sont des choses qui paraissent tellement évidentes qu'on ne s'y intéresse plus. Je crois que la course aiguise la curiosité. Maintenant, même à Paris, il y a des choses qui me paraissent curieuses et qui ne me le semblaient pas avant. Quel Français penserait à faire un reportage sur le pain en France ? Et pourtant le pain, en France, c'est important. Eh bien, le mil, en Afrique, c'est encore plus important.

Moi j'ai voulu faire des reportages, des grands, et je me suis vraiment fourvoyé. En plus, en Haute-Volta j'ai eu beaucoup de problèmes : je me suis retrouvé deux fois au poste. Et je ne savais absolument pas ce que j'avais tourné. J'ai tout le temps filmé avec la caméra sur le ventre, sans jamais regarder dans l'œilleton : il était en effet interdit de filmer certains personnages, et j'ai dû faire presque tout en images volées.

Madagascar... Ça c'est quelque chose qui m'a marqué. On m'a rapporté les critiques des jurés. L'un d'eux disait : « Dans chaque film sur l'Afrique, on voit toujours des gens qui dansent. » Mais Madagascar, ce n'est pas l'Afrique. A Madagascar, les gens des hauts plateaux ne sont pas des Africains. Ce sont des gens qui viennent beaucoup plus d'Indonésie que d'Afrique. Ils n'ont pas la sensibilité africaine. Ils n'ont pas les traits physiques caractéristiques des Africains. Madagascar, c'est vraiment une île à part.

Dans mon commentaire sur le « Retournement des morts » à Madagascar, au moment où, justement, il y a des danses, je fais remarquer que ces danses n'ont pas le caractère africain. Le caractère africain se traduit par des petits tressautements sur place. Là, les gens ne bougent pas. Ce sont des petits gestes de mains, des ondulations du corps, plus asiatiques qu'africains.

Ç'a été très difficile à trouver, ce retournement des morts. Je ne m'étais pas assez renseigné sur le sujet. On m'avait dit : « A Madagascar, des retournements, il y en a tout le temps » et je suis arrivé avec cette idée. Seulement, à Madagascar il y a plusieurs limites. D'abord, il y a la limite saison sèche-saison des pluies ; ça ne se fait qu'en saison sèche pour des raisons qui paraissent évidentes : il vaut mieux sortir les corps par temps sec que par temps chaud et humide. Deuxièmement, il y a la limitation imposée par la loi, et je suis arrivé trois jours après la limite légale pour faire les retournements. Dès que j'ai débarqué à l'aéroport, j'ai commencé à me renseigner et on m'a dit : « Ce n'est pas possible, vous ne pourrez pas voir de retournement. » J'ai quand même essayé. La troisième limite c'est qu'un retournement de mort ne se fait qu'en lune montante... Je suis arrivé le lendemain de la pleine lune, donc en lune descendante. J'ai demandé à je ne sais combien de personnes de m'aider à assister à l'un d'eux. Finalement, on m'indiqua un retournement en brousse. C'est comme ça que je suis parti à cent kilomètres de Tananarive.

Dans le village, tout s'est bien passé, grâce aux Malgaches qui m'accompagnaient. Ils ont expliqué en malgache ce que je voulais — maintenant à Madagascar le français n'est plus du tout une langue officielle, il y a eu la malgachisation pendant plus de dix ans et beaucoup de gens ont oublié le français, lorsqu'ils le connaissaient. Les gens qui organisaient le retournement ont demandé si je voulais le « voir » ou y « participer ». J'ai dit que je préférais participer. Je suis resté pendant trois jours dans ce village, qui était, en fait, peuplé de la seule famille qui organisait le retournement. On invitait les gens de partout ailleurs. Pendant la première journée, je me suis promené avec ma caméra à la main sans rien filmer, pour une raison bien simple : l'événement ce n'était pas le retournement, c'était moi. J'avais tout le temps cinquante personnes autour, je ne voyais pas à deux mètres devant moi. Au bout d'un moment, les gens ont fini par s'habituer à ma présence.

Pendant le retournement de mort... ma position était celle d'un témoin. Il y a un petit détail intéressant : dans le film on voit, en caméra subjective, comme une sortie de la tombe. Or, quand j'ai demandé à entrer dans le tombeau, on m'a d'abord dit non, parce que j'étais une personne étrangère à la famille. Ça faisait plus de dix jours que j'étais à Madagascar, c'était la première fois que j'entendais le mot « non » — parce que les Malgaches ne disent jamais « non » ; ils disent « peut-être ». J'ai pensé que c'était mal parti. J'ai redemandé cinq minutes après, et j'ai redemandé encore. Ils ont fini par céder les premiers. Je disais toujours : « Ah bon, si c'est absolument impossible, eh bien, d'accord. » Et puis dix minutes plus tard je disais : « Est-ce que je peux descendre dans le tombeau ? »... Alors ils ont dit « peut-être » et puis enfin : « Bon, d'accord. » Je suis descendu mais je ne pouvais pas filmer à l'intérieur, c'était vraiment trop noir. J'ai fait simplement cette image qui évoque la sortie de la tombe.

Ce qui m'a étonné, c'est que les gens étaient plutôt heureux que je sois spectateur. Les Malgaches sont très amicaux. Pour eux, je leur faisais honneur en étant présent. A la fin je les ai remerciés énormément, et eux m'ont remercié également, c'était amusant. Vraiment des gens très gentils. Il y a un autre détail amusant. A l'occasion du retournement, les gens dansent toute la nuit, mais la nuit, bien sûr, je ne pouvais pas filmer. J'ai participé quelques heures à la fête, mais au bout d'un moment, fatigué, j'ai été dormir dans une maison. L'orchestre s'est installé juste sous ma fenêtre ! J'ai dû me réveiller toutes les dix minutes quand le gars tapait un peu plus fort sur sa grosse caisse. Au bout de la nuit j'étais plutôt épuisé...

Georges Amar
CANADA

Quitter Berlin pour aller à Karachi, ce n'est pas à faire. On quitte une ville propre, une ville avec de la nourriture saine, un climat modéré, pour arriver dans une chaleur excessive, dans une humidité à 95 pour 100, et dans une misère qui frappe, qui accroche — c'est la première fois que j'ai vu tant de misère. Je suis arrivé à Karachi le mercredi soir. A l'aéroport, le toit s'était effondré ; on avait construit une tente à côté. Je ne me sentais pas très rassuré, la première impression n'était pas très gaie. On me regardait, on me demandait ce que je venais faire. Ensuite, j'ai pris un taxi, à une heure du matin. Le chauffeur m'a demandé où je voulais aller : je ne savais pas, je n'avais pas de nom d'hôtel. Mais il n'a pas abusé de la situation et il m'a déposé dans un hôtel. Le lendemain matin, j'avais l'adresse de religieuses qui s'occupent d'orphelins et d'enfants infirmes, inadaptés. Elle m'avait été donnée par M. Morin de Radio-Canada, dont l'une des voisines est d'origine pakistanaise. Dès le jeudi matin, j'ai été voir la mère supérieure qui était avertie de ma visite par la femme de Montréal.

J'ai pris un taxi. J'ai sonné. Un petit garçon m'a ouvert. Il m'a appelé « mon oncle », il m'embrassait la main, il ne voulait plus me lâcher. La mère supérieure est arrivée : « Reste ici, il faut que tu dormes, c'est une amie qui t'envoie avec nous ici. » C'est dans la mentalité de ces gens-là. J'ai senti que je pouvais faire un film là. Seulement je n'avais qu'un jour pour le tourner, parce qu'on était jeudi et que je devais envoyer le film le vendredi soir dernier délai.

Les sœurs m'ont laissé filmer tout ce que je voulais, faire une série d'interviews, qui ont été sous-exposées, d'ailleurs. Alain Montesse n'a pas pu les utiliser, les images étaient illisibles. Cela vient du fait que je ne connaissais pas ma caméra. Je l'ai achetée quatre ou cinq jours avant de partir, on avait eu le temps de faire un seul film. Au départ, j'avais des idées, beaucoup d'imagination et très peu de technique. J'avais toujours fait des films avec des caméras très simples. Et la Beaulieu est une caméra assez sophistiquée qu'il faut connaître. Ça a joué contre moi un certain temps : je tripotais les boutons mais je ne savais pas ce que ça allait donner. Pourtant, au début, ça a bien marché. Les films à Londres et à Berlin, techniquement ça allait bien. Mais j'ai voulu faire des choses un peu plus artistiques, me servir pour l'exposition de la position manuelle, chercher des effets... Ça a raté parce que je n'avais pas de pratique. C'est embêtant de faire un film et de ne pas voir ce que ça donne au développement. C'est le grand problème de la course.

Karachi, ça m'évoque ces problèmes techniques, mais il y avait aussi ces enfants, ces religieuses. J'ai passé une semaine avec eux. Je suis resté après le film. Entre l'hôtel et cette maison, j'ai préféré cette maison. Seulement, je n'ai jamais mangé. Je n'y arrivais pas, les enfants étaient tout autour et dégageaient une odeur d'urine incessante. Les religieuses comprenaient très bien, elles ne m'ont jamais incité à manger, elles me laissaient faire ce que je voulais et ça, j'ai bien aimé. La mère supérieure m'a mis en contact avec l'archevêque, qui m'a donné l'idée de faire un film sur les Kalachs.

Les Kalachs, ce sont des descendants d'Alexandre le Grand. Ils vivent au nord du Pakistan. Ils sont blonds aux yeux bleus, ce ne sont pas des musulmans. Ils ont décidé d'arrêter de reproduire leur race. Des médecins pakistanais se sont rendus sur les lieux et ils ont constaté qu'en effet les femmes ne font plus d'enfants. La race, dans quelques années, va s'éteindre toute seule. Les Kalachs ont décidé cela parce que, paraît-il, il y a des vagues de touristes qui viennent les voir, et qu'on veut construire une route pour les rejoindre. C'était donc un sujet en or. Ce sont des gens qui ne se lavent que deux fois dans leur vie : à la naissance et à la mort. Ce ne doit pas être agréable comme odeur, mais on dit que ce sont des gens très beaux.

Seulement, il y avait un problème pour réaliser le film, il fallait se rendre à Peshawar et de là prendre un petit avion jusqu'aux terres des Kalachs. Celui-ci ne décolle que lorsqu'il fait beau. C'était un grand risque à prendre, j'aurais pu rester coincé chez les Kalachs cinq ou six jours. Imaginez le retard pour l'envoi des films !

Alors l'archevêque m'a proposé un autre sujet : les réfugiés. A défaut d'autre chose, pourquoi pas, ça peut être bon, les réfugiés. On m'a tout arrangé. Ça n'a jamais été aussi facile pour moi, de faire un film. Les gens s'imaginent que c'est dur de rencontrer ces réfugiés afghans qui sont au nord du Pakistan. Moi, on m'a fait passer pour un membre de Caritas qui est un organisme religieux, et on m'a donné toutes les autorisations pour filmer.

C'était la première fois de ma vie que je voyais un camp de réfugiés. En fait, il ne s'y passe rien. Les gens ne font rien du tout, ils traînent, ils pêchent, ils promènent leurs bœufs. Quelques enfants vont à l'école. C'est très difficile de faire un film à partir de ça, surtout que je n'avais pas beaucoup d'expérience avec ma caméra.

Moi, ce qui m'avait frappé le plus, c'était le trafic autour des camps : tous les commerçants pakistanais qui font fortune dans ces endroits-là. C'est ce que j'ai voulu montrer et j'ai également voulu dire que le gouvernement pakistanais grossissait le chiffre des réfugiés, en affirmant qu'il y en avait trois millions. Je l'ai constaté sur place, ça m'a été confirmé par les membres de Caritas : le gouvernement grossit les chiffres afin de recevoir plus d'aide des organismes internationaux et ces aides, la plupart du temps, servent au business dans les alentours. Les réfugiés n'ont toujours pas d'eau, ils ont très peu de nourriture et ils sont toujours très mécontents. C'est ce que j'ai vu.

On m'a reproché au jury d'avoir dit ces choses-là, mais je ne vois vraiment pas ce que j'aurais pu dire d'autre. On a dit que j'avais complètement raté mon coup, que c'est dommage d'aller si loin et de passer à côté du sujet. Je ne sais pas, si c'était à refaire, peut-être que je reprendrais d'autres images puisque j'ai plus d'expérience, mais je crois que je dirais la même chose. J'avais fait un chapeau, je me souviens, où je disais que je ne ferais pas le procès de l'Union soviétique. Question de prudence, je n'avais pas envie de faire un film politique. Le texte fut mal interprété — j'en ai parlé avec Didier Régnier —, on a pensé que j'avais voulu prendre le parti de l'Union soviétique, ce n'est pas le cas du tout. Ce film-là m'a fait très mal, 66 points seulement, je ne l'ai jamais compris.

5ᵉ SEMAINE DE COURSE

STATIONS	TÉLÉ-GLOBE-TROTTERS	REPORTAGES	ACQUIT	JURY A2	JURY SRC	JURY RTL	JURY SSR	TOTAL SEMAINE	TOTAL	NOMBRE DE REPORTAGES	MOYENNE PAR REPORTAGE	PLACE AU CLASSEMENT ESTIMÉ
A2	A.-C. LEROUX	Repos	321	—	—	—	—	—	321	4	80	1ʳᵉ
SRC	G. AMAR	Repos	307	—	—	—	—	—	307	4	76,7	2ᵉ
RTL	A. BRUNARD	«Itaïpu, monstre de béton» (Brésil)	226	19	21	—	22	62	288	4	72	3ᵉ
SSR	Y. GODEL	«Battery Beach» (San Francisco, U.S.A.)	221	20	14	26	—	60	281	4	70,2	4ᵉ
A2	J.-F. CUISINE	«Famadihana» (Madagascar)	203	—	27	27	24	78	281	4	70,2	4ᵉ
SSR	R. GUILLET	«Vent contraire à Buenos-Aires»	206	26	18	29	—	73	279	4	70	6ᵉ
RTL	M. de HOLLOGNE	«Ted Noffs, une vision» (Australie)	195	27	22	—	31	80	275	4	69	7ᵉ
SRC	M. BONENFANT	«Exodus» (Algérie)	193	22	—	27	21	70	263	4	66	8ᵉ

Raphaël Guillet
SUISSE

On est en Argentine. C'est la première escale qui compte vraiment pour moi, mais avant l'Argentine, il y a eu pourtant d'autres choses.

Il y a eu New York, que j'apprécie mais où je ne retournerai plus pour faire un film. Je m'imaginais que New York était la ville photogénique par excellence. C'est tellement photogénique que tout le monde est passé déjà là-bas. Je n'ai plus envie d'y aller avec une caméra ou alors je prendrai plus de temps. Parce que les rapports sont très difficiles à New York, personne ne donne de numéros de téléphone. J'étais un peu piégé. Il a fallu que je prenne des scènes dans la rue : ça a donné un premier film d'atmosphère qui n'a pas très bien marché. Je pensais encore à l'époque qu'il suffisait de faire un texte que l'on plaque sur certaines images, moins importantes pour moi. Par la suite j'ai changé d'avis parce que j'ai eu le coup de foudre pour l'image.

Revenons à l'Argentine. C'est un des endroits auxquels je tenais le plus, parce que je suis un peu argentin moi-même, pas de nationalité mais de sang, de tempérament. Je connais la langue, j'ai appris l'espagnol, j'ai un groupe de copains argentins à Lausanne qui m'ont énormément parlé de l'Argentine... Certains sont réfugiés politiques. Je voulais vraiment aller là-bas aussi pour un des seuls sujets que j'avais préparé, le tango. J'avais le tango dans la tête à l'époque, j'avais étudié les textes des chansons, j'avais vu Claude Fléouter, qui travaille au *Monde* et pour la télévision, et qui fait des reportages sur le tango. Je voulais vraiment faire quelque chose sur le tango, pas celui que l'on danse, qui est maintenant plus folklorique, touristique (même si c'est du bon tourisme). Non, je voulais faire quelque chose sur la mentalité, sur le tango en tant que mentalité argentine.

Le tango est né dans le port et je suis surtout allé prendre des images de ports. Le tango c'est une espèce de nostalgie qui est quand même loin d'un état d'esprit désespéré. C'est la conscience que la vie apporte la décrépitude. Il y a un exemple assez fréquent dans les chansons de tango, celui d'un type qui est parti de son village, de sa ville, alors qu'il était amoureux d'une jeune fille du port, très belle ; il est parti pour chercher du travail, parce que c'était en général des gens qui arrivaient du bassin méditerranéen et qui espérait trouver l'eldorado — qu'ils ne trouvaient pas d'ailleurs — et ils devaient faire de petits boulots ici et là et partir. Et quand le gars revient, quelque mois ou quelques années plus tard — c'est une constante — il retrouve cette fille, les traits défaits, en train de travailler sur le trottoir.

Alors il exprime son rêve fané. Nostalgie, tristesse, déception ; oui, il y a beaucoup de ça dans le tango. Mais le tango est aussi un chant de résistance face à tout cela, un défi craché à notre existence lorsqu'elle ne joue pas le jeu. Le tango — la danse, cette fois-ci — est d'ailleurs né du défi : les pas du tango (ça, c'est l'écrivain Borges qui me l'a dit, rien que ça..., puisque j'avais effectivement eu la très grande chance de le rencontrer chez lui à Buenos-Aires), les pas du tango, disait-il, sont une retransposition de cette espèce de danse que font deux hommes qui se battent au couteau : l'un avance, l'autre recule. La rythmique même du tango est dynamique, nerveuse. Le tango, ce n'est donc pas baisser les bras mais plutôt lever le poing au ciel. C'est le mal de vivre de celui qui ne veut toutefois pas crever. Et puis il y a le bandonéon qui sait si bien raconter tout ça... Voilà ce que j'avais envie de faire passer, mais à l'image c'est difficile, enfin, c'était pas trop mal. C'est la première fois qu'un film d'ambiance passait bien au niveau des points aussi... Et la dernière, d'ailleurs !... mais ne parlons pas trop des points.

En Argentine, je me suis senti très bien. Paradoxal à dire quand on sait tout ce qui s'y passe — c'est comme en Union soviétique ou en d'autres endroits —, mais dans ce pays j'ai pu m'adonner à un de mes vices favoris dans la course, le taxi. Connaître une ville par le taxi, quand je pouvais me le permettre financièrement, je le faisais assez volontiers. En Argentine, avec la faiblesse de la monnaie, je me souviens d'une balade de deux heures et demie en taxi, pour deux dollars américains. J'avais dû amener mon film à l'aéroport et ensuite partir à la gare prendre le train pour Mar del Plata. Je me souviens très bien de ces deux heures et demie durant lesquelles on avait beaucoup ri, on riait des Malouines, tout le monde en riait. Ça m'a d'ailleurs surpris. On riait quand même, un peu amèrement, parce que c'était quelque chose qui avait touché et dont on voulait se débarrasser. Le ras-le-bol argentin suite à la défaite des Malouines et la volonté d'exécuter tout cela d'un éclat de rire collectif, c'est un de mes souvenirs les plus forts.

J'ai fait deux sujets en Argentine : le tango et un autre sur l'après-Malouines, pour lequel j'ai été notamment interviewer le prix Nobel : Rodolfo Pérez Esquivel : il avait accepté sans difficulté qu'on se voie rapidement. J'ai pris des images sur la place de Mai, où Esquivel est entouré de celles qu'on appelle « les folles » de la place de Mai, les mères, les sœurs ou les tantes des « disparus » pour motifs politiques. Je me souviens que j'étais avec la caméra. Esquivel, que j'avais déjà interviewé, m'a reconnu, alors ils ont fait une espèce de ronde autour de moi, ils tapaient des mains. Je me suis senti un peu trop le point central sur cette place pendant quelques minutes. J'ai vu deux, trois policiers, je sentais que ça se resserrait un peu, je ne sais pas ce qui se serait passé, peut-être qu'on aurait parlé simplement, je n'en sais rien. Mais je n'ai pas eu envie de savoir, surtout que Bernard Crutzen, l'année passée, avait eu droit à trois jours de vacances forcées pour avoir filmé un établissement public.

Les Argentins réfugiés à Lausanne insistaient à juste titre sur le plan politique mais on n'a pas le temps de tout comprendre sur place. On se sent dans un pays presque comme le nôtre parce que, si on sait qu'il y a quelque chose derrière, on ne voit rien, on ne voit pas grand-chose. Je me suis rendu compte quand même qu'il y avait une amorce de dégel dans la tête, causée par la défaite des Malouines, qui a fait perdre toute « autorité aux autorités ». Bon ! sur ce plan-là oui, il y a un dégel. D'ailleurs, je suis allé prendre quelques plans de la première manifestation péroniste depuis l'avènement des militaires au pouvoir, signe que quelque chose est en train de commencer à changer. Mais sur place, on ne voit pas la torture et toutes ces saloperies, rien de tout ça, forcément !

Je ne voulais pas insister trop là-dessus. J'ai un peu peur de mal en parler. Je crois qu'il y a un matraquage important au niveau des medias ; la course n'a pas à être, pour moi, un télé-journal. D'autre part — en Inde ça a été le même problème —, je crois que pour les sujets sociaux, il faut savoir très bien en parler pour que cela touche. Il y a le risque, à la longue, que les gens se lassent et que l'effet soit contraire à ce que l'on cherche. On en a marre de tout ça, donc on s'en débarrasse. Je préfère laisser ces sujets à d'autres qui sauront mieux en parler que moi ou qui auront plus de temps pour le faire.

Mario Bonenfant
CANADA

Le Portugal, une catastrophe incroyable ! On peut mettre ça sur le compte de la naïveté, c'était si nouveau tout ce qui s'ouvrait à moi. J'ai adoré le Portugal. Dans la première semaine j'ai eu la chance — qui est en même temps la malchance — de rencontrer un homme qui m'a fait faire le tour du pays en voiture. Il était très intéressé par la course, il trouvait ça génial. Alors on est partis, j'ai tourné partout des plans et quand je suis revenu faire la préparation du montage, j'ai voulu mettre tout ce que j'avais tourné. Je n'avais pas compris, évidemment, qu'il fallait cerner un sujet. Alors vous avez eu droit aux cheminées, aux pêcheurs, à la chapelle des os, tout ça dans un film que j'ai intitulé maladroitement : « Le touriste ne fait que passer ».

Le touriste, c'était moi.

J'arrive en Afrique du Nord, au Maroc. Là j'étais tout seul, un peu paumé. La première journée, je suis allé à la Chambre de commerce française. Ils m'ont sorti une petite coupure de presse en commentant : « C'est une tradition berbère, un rassemblement qui permet aux filles de se proposer à leur futur mari, c'est bien, ça se passe dans l'Atlas... » C'était loin. Il se trouve que j'étais dans ma première semaine de congé, donc je pouvais me permettre de m'éloigner et même de me casser la figure s'il n'y avait rien d'intéressant.

J'ai voulu être sûr de ce qu'il y avait là-bas. Je suis allé voir un professeur de l'Université musulmane du Maroc et il m'a dit : « C'est incroyable, ma femme a justement fait une thèse sur le sujet que vous voulez aborder. »

Alors, j'ai pratiquement fait mon film d'avance, dans leur salon. Ils m'ont sorti des livres sur les Berbères, sur la fête que je voulais filmer, ils m'ont fait écouter la musique de cette fête. Avant même de partir, je savais ce que je pouvais faire. Et quand je suis arrivé, j'ai tourné juste ce qu'il me fallait.

Je suis parti de Casablanca en autobus pour Beni Mellal, une ville agricole entre Marrakech et Fès. Ensuite j'ai pris un autre autobus pour un autre patelin. Après, le stop. J'ai rencontré des Suisses qui allaient aussi à la fête. Beaucoup de gens connaissaient la course et m'emmenaient sans problème.

J'arrive la veille du rassemblement, je rencontre un Berbère qui était venu en France et qui, lui aussi, connaissait la course. Il me dit : « Tu vas faire un film sur mon peuple ! » — et aux autres : « Vous vous rendez compte ? »

Le soir même, il m'emmène dans son groupe de musique et j'enregistre toute la veillée avec mon petit magnéto. Le lendemain, j'entre dans une tente berbère et je me mets à écouter ce que j'avais enregistré la veille. Je dis aux gens : « Attendez, il y a de la musique dans mes oreilles » et je leur mets l'écouteur sur leurs oreilles à eux. Ils se mettent à danser sur place. Vous imaginez un Berbère en train de danser avec les écouteurs sur la tête ! Ils se le sont passé à tour de rôle. Il y avait une atmosphère drôle, sympathique, autour de moi, dans cette tente. Une fille se dirige vers moi, elle me demande — parce que c'est les femmes là-bas qui véritablement choisissent quelqu'un : « Serais-tu content de me connaître, de parler et, à la limite, de nous fiancer ? » Moi, pour jouer le jeu, je dis : « Tiens, pourquoi pas ? » Elle court chercher son petit baluchon, elle en sort sa robe de mariée et la déplie...

Un Berbère m'a dit : « C'est sérieux mais ce n'est pas obligatoire que tu la prennes aujourd'hui. Tu reviens l'année prochaine ; aujourd'hui, c'est juste les fiançailles. »

Je leur ai laissé mon adresse, je recevrais peut-être une Berbère par la poste !

Du Maroc pour gagner l'Algérie, j'ai dû passer par Paris, tellement les deux pays étaient en ce moment-là en conflit.

Je n'avais plus un rond, j'avais fait trois semaines avec l'argent de la première escale bancaire.

Arrivé à Alger, j'ai connu une hospitalité incroyable que je n'ai jamais rencontrée dans aucun autre pays. Dans l'autobus entre l'aéroport et le centre ville, je fais la connaissance d'un jeune homme de vingt ans qui travaille à la Sonatra, pour le pétrole. Je lui dis que je vais chercher un hôtel. Il me répond : « Il y a trois millions de personnes dans cette ville faite pour cinq cent mille. Alors tous les hôtels sont pris, il faut réserver à l'avance. » Et c'était vrai. Je décide d'aller au moins à la banque pour chercher mes sous. On y va ensemble et là, on me dit : « On ne peut rien faire avant quatre jours, ici c'est fermé le jeudi et le vendredi, et comme en France, c'est fermé le samedi et le dimanche, on ne recevra rien de Paris avant lundi... »

Je suis effondré mais mon nouveau copain me rassure : « Ce n'est pas grave, si tu n'as pas d'argent, je vais t'en donner. » Donner, hein ! C'est tout ou rien là-bas ! Il ajoute : « Viens à la maison, il n'y a pas de problème. »

Évidemment, j'avais mes valises et tout. « A la maison », c'était incroyable, il y avait trois pièces pour dix personnes et, comme j'étais un étranger, on a couché seulement à deux dans la chambre où j'étais alors que tous les autres étaient entassés dans les autres pièces. C'était dingue. Maintenant j'ai un ami en Algérie.

Yves Godel
SUISSE

Les États-Unis sont vraiment les bienvenus après l'Afrique. De bonnes retrouvailles avec un pays moderne. Ça commence à New York, où j'ai passé deux semaines. J'étais conscient du fait que c'est très connu, et que les Canadiens n'aiment pas ça. J'ai joué égoïste. Pourquoi ? On ne le répètera jamais assez, à New York, il y a quelque chose de complètement fascinant pour un Européen.

J'ai fait le premier film sur un stripteaseur. Quand les gens en parlent, ils disent : « Ah oui, oui, l'homosexuel de New York... »

Ce n'est pas du tout ça, c'est un stripteaseur mais qui n'est pas homosexuel.

Dans le livre de la course de l'année précédente, Laetitia Crahay rappelle qu'elle a fait un film sur les gens qui se déguisent pour chanter les télégrammes, et elle annonce : « Avis aux suivants, il y a, paraît-il, des gens qui vont plus loin encore, au lieu de chanter, ils font du strip-tease. »

J'ai donc regardé dans les pages jaunes du guide du téléphone et j'ai essayé de trouver une organisation qui s'occupe de ça. J'avais quelques amis à New York, des gens de Genève, qui m'ont aidé à organiser une soirée. Pendant la journée on a téléphoné à cette agence et on leur a demandé d'envoyer un homme. Il y a bien sûr des femmes qui le font, mais je crois que c'est plus original de trouver un homme. Ce qui était, en fait, difficile au niveau du tournage de ce film, c'est que les scènes ne se répètent pas, c'est un show qui dure environ cinq minutes. Je ne savais absolument pas ce qui allait se passer dans le détail. J'ai débarqué avec ma caméra. On a attendu le type, je ne savais pas du tout de quoi il avait l'air, comment il allait réagir. On lui avait vaguement dit que c'était pour tourner un film.

Ça s'est extrêmement bien passé, le gars était extrêmement sympathique et j'ai trouvé très drôle, dans cette soirée, le décalage qu'il y avait entre cette personne qui se déshabille complètement et le public extrêmement bien habillé dans tous les sens du terme. Là était l'intérêt du film.

J'ai changé ce que je voulais dire dans le commentaire. D'abord mon idée était : « Voyez ce que les gens sont réduits à faire pour gagner de l'argent... »

Mais le type s'est pris pour un artiste qui était là pour tourner un film. Je l'ai très vite considéré comme ça, j'ai admiré le personnage, je trouvais déjà que le strip-tease était extrêmement bien fait, que le type chantait bien avec une vraie voix de chanteur, vraiment j'étais étonné de la qualité du spectacle alors que je m'attendais à quelque chose d'un peu sordide.

Le lendemain, j'ai tourné toutes les scènes de sa vie privée, dans le bar, dans la rue, les scènes extérieures, et j'ai fait l'interview.

Je l'ai payé. Pour son travail il doit donner la plus grosse part à l'agence, lui, il touche trois fois rien. A la limite, j'étais le réalisateur et lui le comédien, je me devais de le payer, j'ai trouvé ça tout à fait normal.

A New York, j'ai fait aussi : « Battery Beach ». Personnellement, je préfère ce film à celui sur le stripteaseur. Le stripteaseur est un sujet que je qualifierais de typiquement « course autour du monde ». Battery Beach, c'est quelque chose de beaucoup plus personnel. On me l'a reproché d'ailleurs dans le sens où je me sens beaucoup plus à l'aise dans les films où il n'y a rien à comprendre, dans les sujets de sentiments, d'ambiance, et le mot « ambiance » est très péjoratif dans la course. Le film m'a marqué, c'est la première fois que j'ai vraiment eu une sensation incroyable au niveau du tournage. D'abord, le cadre, cette plage un peu désolée dans New York, ces fils de fer qui dessinent des personnages, le soleil derrière, enfin, vraiment des recherches d'images.

C'était surtout dans cet esprit là que je suis parti à la course. Ce qui m'intéresse, ce n'est pas tant raconter une histoire, que « montrer » une histoire. Si j'étais un narrateur, je ferais ou bien de la radio ou du journalisme écrit.

Le cinéma, par définition, c'est de l'image. Enfin, à mon avis. C'est quelque chose qu'un juré a ressenti et exprimé : Patrick Segal. Il a très bien noté ce film. Moi je ne sais pas pourquoi les gens cherchent toujours à comprendre. J'ai l'impression que les gens ont toujours besoin qu'on leur explique les choses. C'est drôle de voir les contradictions dans les opinions. C'est assez révélateur, à mon avis, que Patrick Segal ait aimé ce film, c'est un homme de sentiment, je crois, c'est un homme d'une sensibilité, d'une force incroyables, mais surtout quelqu'un de sensible. A la limite ça ne m'étonne pas qu'il ait « compris » ce film, dans le sens du sentiment, compris qu'il n'y avait, en fait, rien à comprendre. Alors que les autres jurés ont pensé : « Oui, c'est un interlude. »

J'imagine les gens qui n'ont pas aimé ce film, je les imagine devant leur poste à attendre, pendant trois ou quatre minutes, qu'on leur explique quelque chose. Ils auraient pu attendre longtemps, parce qu'en fait il n'y a rien à expliquer, juste à évoquer la ville qui s'étend, qui va absorber la plage. Je l'ai dit dans le court commentaire presque par docilité, mais en ce qui me concerne, j'aurais pu me passer de parole. Tout ça voudrait dire que les gens, consciemment ou inconsciemment, associent la course autour du monde à un « reportage ». Je crois qu'il y a eu une règle tacite dans l'évolution de la course ; elle s'est dirigée vers le reportage dans tout ce qu'il a de carré.

6ᵉ SEMAINE DE COURSE

STATIONS	TÉLÉ-GLOBE-TROTTERS	REPORTAGES	ACQUIT	JURY A2	JURY SRC	JURY RTL	JURY SSR	TOTAL SEMAINE	TOTAL	NOMBRE DE REPORTAGES	MOYENNE PAR REPORTAGE	PLACE AU CLASSEMENT ESTIMÉ
A2	A.-C. LEROUX	«Elections au Brésil»	321	–	21	21	22	64	385	5	77	1ʳᵉ
RTL	A. BRUNARD	«On achève bien les lamas» (Bolivie)	288	22	29	–	32	83	371	5	74,2	2ᵉ
SRC	G. AMAR	«De Bouddha au massage» (Thaïlande)	307	18	–	21	17	56	363	5	72,6	3ᵉ
SSR	R. GUILLET	«Vivre quand même» (Argentine)	279	31	26	24	–	81	360	5	72	4ᵉ
A2	J.-F. CUISINE	«Jeu d'échecs» (Zimbabwe)	281	–	24	27	26	77	358	5	71,6	5ᵉ
SSR	Y. GODEL	Repos	281	–	–	–	–	–	281	4	70	6ᵉ
RTL	M. de HOLLOGNE	Repos	275	–	–	–	–	–	275	4	68,7	7ᵉ
SRC	M. BONENFANT	«Cent coups de pioche pour 1 peso» (Bolivie)	263	25	–	27	27	79	342	5	68,4	8ᵉ

Alain Brunard
BELGIQUE

A La Paz, j'ai vu dans une librairie un livre sur des rites particuliers qui se passent en Bolivie. J'ai réussi à obtenir l'adresse de l'auteur. J'ai été le voir, c'est un cinéaste qui a décrit dans un livre ce qu'il avait fait. Il y parle d'un rite, celui de « l'étalon de l'année », un homme qui, pendant un an, devient l'espèce de dieu du village, qu'on détrône après en avoir élu un autre... et qui danse alors jusqu'à ce que mort s'ensuive. Je trouvais ça incroyable et j'ai demandé au cinéaste s'il était possible de pouvoir le filmer. Il m'a dit : « Je peux t'accompagner dans le village qui s'appelle Oumala. » C'est à six heures de piste de La Paz. On est arrivés dans le petit village et il a commencé à discuter avec les villageois pour savoir si je pouvais filmer le rite. Il faut dire que ce rite ne se passe qu'une fois l'an, et l'on n'était pas à la bonne date ! Mais les villageois ont accepté de reconstituer exactement leur fête. On est revenu le lendemain, il leur fallait du temps pour se préparer, mettre leurs costumes...

A huit heures du matin tout le village était habillé dans des couleurs incroyables, ils avaient tout préparé, leurs chapeaux avec leurs plumes, c'était fou ! On s'est rendus à l'endroit où ça se passe chaque année, avec des petites montagnes et des collines en arrière-plan. Ils ont fait le rite exactement, sans rien changer — enfin, d'après le cinéaste, ça se passe comme ça — et j'ai pu filmer tout ce que je voulais.

Il faisait très beau, il y avait un ciel incroyable. Je pensais vraiment avoir réalisé quelque chose de grand. Quand j'ai appris les points de ce sujet, qui a été noté premier, je crois, cette semaine-là, j'ai appris également la réaction d'un des jurés de la course qui est le fils de M. Granier-Deferre.

Je ne lui en voulais pas, il jugeait comme il avait envie de juger. Mais ce qui m'a peiné, c'est sa critique. Il a dit, je crois : « Moi, je me suis endormi ! Je me suis endormi parce que j'ai eu l'impression de rouvrir mes anciens bouquins de géographie. Et comme je n'ai pas aimé du tout ce genre d'études... »

Ça m'a fait vraiment mal parce que ce que j'ai filmé là, ce n'est pas simplement une petite danse, c'est toute une façon de vivre, c'est tout un village qui était heureux de refaire ce rite et on sentait vraiment que c'était important pour eux.

Alors, quand on se débrouille pour aller chercher un sujet quand même assez loin, qu'on a discuté avec des villageois pendant des heures, qu'il y a vraiment eu un contact qui s'est fait, qu'il y a eu une expérience humaine incroyable, et qu'on vous dit par téléphone : « Il y a un juré qui a dit qu'il s'est endormi », ça fait mal, quoi, ça fait vraiment mal ! Il faut faire attention à ce qu'on dit aux candidats quand ils sont dans leur course. On ne se rend pas compte de la portée que ça peut avoir. Ça peut vous faire changer du tout au tout, vous démoraliser complètement. Ça dépend des gens, des caractères, bien sûr, mais moi, ça me touchait très fort.

Au Pérou, j'ai rencontré des gens qui m'ont donné une idée pour faire un sujet sur des chercheurs d'or. Ils se trouvaient assez loin dans la jungle amazonienne. J'ai donc pris deux avions, j'ai fait huit heures de bus, puis j'ai pris encore un petit avion bi-place qui a atterri sur un chemin de terre. De là, il fallait se débrouiller. J'ai rencontré un Péruvien et par chance — j'ai eu beaucoup de chance dans cette course — il parlait français, il avait fait ses études en Belgique. On commence à discuter, je lui explique que je veux faire un sujet sur les chercheurs d'or. Lui m'explique qu'il a une pirogue et qu'il va souvent ravitailler ces gens-là, qui se sont enfoncés en plein milieu de la jungle. Il accepte de me conduire jusqu'au campement d'un de ces chercheurs d'or. Le problème c'est que l'eau a monté, le débit du fleuve est très rapide, impossible de prendre la pirogue à moteur. Donc, on part à pied dans la jungle, la nuit. J'avais de l'eau jusqu'aux épaules, je tenais mes caméras à bout de bras, on a marché pendant une dizaine d'heures. Je vous jure que rarement j'ai eu aussi peur de ma vie... les bruits, on a l'impression qu'il se passe plein de choses, des crocodiles, des bêtes... On arrive au campement, je rentre dans une espèce de cabane sur pilotis et je vois le chef du campement, un type énorme qui a fait toutes les guerres, des balafres partout... On commence à discuter, il n'a pas l'air très chaud.

Par la suite, je saurai qu'il ne vend pas son or à la banque des minéraux, qu'il fait du trafic avec le Paraguay et qu'il n'a pas tellement envie que cela se sache.

Il ne parlait pas espagnol de la même façon que les autres. Je lui demande : « Vous êtes péruvien ? — Non, je suis grec. » Je lui dis : « Vous êtes grec ? Vous savez, il y a une partie de ma famille qui vit en Grèce. » Je vois ses yeux qui s'ouvrent un peu. Il dit : « Ah bon, et où ? — Oh, vous ne connaissez pas, c'est un tout petit village en dessous de Corfou, un minuscule village qui s'appelle Mortos, quatre-vingts habitants. » Là, il explose. On était au fin fond du Pérou, au fin fond du monde, dans la jungle amazonnienne... « Mortos, mais c'est mon village ! » A partir de ce moment-là, il a tout fait, il s'est mis en quatre pour moi. Il a appelé ses ouvriers et, le lendemain matin à huit heures et demie, devant la case, il y avait une quarantaine d'hommes. On est partis pour faire le sujet. Une chance incroyable !

Georges Amar
CANADA

Après Karachi, Bangkok. A l'aéroport, un jeune homme se dirige vers moi :
« Taxi, taxi. — Oui, combien ? » on commence à marchander et tout en
marchandant on devient des copains. Il a aimé ma façon de marchander,
moi j'ai aimé la sienne et après on ne s'est plus quittés. Il m'a promené dans
Bangkok pendant deux semaines, il m'a suivi chez les Méos sans un sou, il
n'a jamais voulu que je le paye et il m'a servi de traducteur en Thaïlande
pendant deux semaines. Il m'a invité chez lui avec sa femme, ses enfants,
c'est incroyable. Rencontrer un personnage comme ça dès les cinq premières minutes à Bangkok, c'est un coup de pot incroyable. En Thaïlande, il
faut être avec quelqu'un pour se promener et ça coûte cher. Il a donc arrêté
de travailler pendant deux semaines pour me faire plaisir ! Ça n'arrive
qu'une fois dans la vie ce genre de chose-là.

Ainsi je découvrais la Thaïlande : j'ai été très surpris par le nombre
incroyable de salons de massages et le fait qu'on me propose une fille un
peu partout. Pour moi, la Thaïlande, c'était un pays qui ressemblait au
Vietnam ou au Cambodge. J'ai cru que j'avais un sujet en or. Je ne savais
pas que c'était si connu en Europe, mais alors pas du tout. Au Canada, la
Thaïlande, on ne sait même pas où ça se trouve. Les Canadiens, ils s'inté-
ressent surtout à l'Europe et aux États-Unis, mais la Thaïlande, ils n'en
parlent jamais. C'est comme l'Australie. On en a une vague idée, mais on
ne sait pas ce que c'est.

Donc pour moi ce pays fut une découverte. J'ai trouvé les gens très à
genoux devant les touristes, qu'ils considèrent comme des dieux. Ils ont
moins de fierté que les Japonais ou que les habitants de Hong Kong. Il
suffisait que j'entre dans un bar et j'étais un dieu, pour les hommes aussi
bien que pour les femmes.

Ce qu'on m'a reproché, dans mon film, c'est d'avoir donné, dans le
commentaire, des renseignements qui n'étaient pas exacts, notamment à
propos de la guerre du Vietnam. J'ai parlé, c'est vrai, d'une présence américaine de plus de cinq cent mille soldats et on a compris cinq cent mille en
même temps, alors que ça concernait une période de 15 ans. Pour les
Américains, la Thaïlande c'était repos et distraction. C'est au cours de ce
va-et-vient entre le Vietnam et la Thaïlande qu'il y a eu cinq cent mille
Américains. En tout. C'est ça que j'ai voulu dire, on a mal interprété. C'est
un malentendu.

Passons là-dessus. A Bangkok, j'ai fait ce sujet-là, et ensuite un film sur
des gens qui vivent dans des bateaux, sur les canaux. On n'a jamais vu ce
film, il a été perdu. Comment ? A l'aéroport, j'ai remis ma pochette et le
film n'est jamais arrivé. Je crois que l'avion a changé d'équipage à un
certain endroit. On a oublié d'avertir ce nouvel équipage qu'il y avait une
enveloppe de la course. Elle est restée dans l'avion et le service de nettoyage

a dû la balancer quelque part. Un film qui n'était pas mal. C'étaient des gens qui vivaient sur un bateau, mais qui allaient être obligés de partir : on lâchait du béton sur les canaux pour faire des routes, afin de dégager la circulation dans Bangkok.

Jean-François Cuisine
FRANCE

De Madagascar, je reviens vers l'Afrique. A la vérité, lorsque j'ai débarqué au Zimbabwe, j'ai eu plus l'impression d'arriver en Amérique du Nord qu'en Afrique. L'Amérique du Nord en plus propre. Vous savez, le Zimbabwe, c'est l'ancienne Rhodésie. C'est un pays qui est à 85 pour 100 noir et à 15 pour 100 blanc. Les Blancs ont tenu le pouvoir pendant très longtemps et puis le pays s'est ouvert à la démocratie. Je le disais dans mon chapeau-annonce et c'est vrai, c'était pour ça que je m'y intéressais. C'est un des seuls pays du continent africain qui a vraiment donné une chance à la démocratie. Il a organisé des élections libres avec des extrémistes et avec des centristes. Tout le monde pouvait se présenter.

En fait, arrivé sur place, je me suis aperçu que la réalité n'était pas si idéale que ça. Dans la plupart des États africains, les chefs de gouvernement sont arrivés par un coup d'État. Là, le chef du gouvernement est élu. Mais il n'y a plus d'opposition et on a, de nouveau, instauré un parti unique. J'avais déjà imaginé mon sujet avant d'arriver sur place : un sujet sur le jeu d'échecs. Une idée née d'une simple photographie dans un article de journal. Elle montrait, dans une rue, un jeu d'échecs à l'échelle humaine. J'avais imaginé le scénario dans l'avion entre Madagascar et le Zimbabwe. Quand je suis arrivé dans ce pays, j'avais une idée assez précise du film.

Mais en faisant un pré-minutage, je me suis aperçu que le sujet ferait à peu près vingt à vingt-cinq minutes. Je voulais montrer, en plus des joueurs, des spectateurs qui seraient là, qui passeraient, qui regarderaient. Par exemple le conseiller militaire d'une puissance étrangère qui donnait un petit conseil au joueur blanc et puis s'en allait ; des petites touches, comme ça... Mais c'était beaucoup trop long. Donc, je me suis restreint.

Vous vous souvenez peut-être, j'ai eu l'idée d'opposer un très jeune joueur blanc à sept Noirs. Au départ, je voulais les opposer à un contre dix. Seulement je n'ai pas réussi à trouver dix joueurs noirs. Tous les gens qui figuraient dans le film savaient exactement ce que je voulais exprimer ; ils savaient comment ça allait se passer. Le plus dur a été de trouver les pièces du jeu. Celles que j'avais vues sur la photo ont été volées il y a deux ans. Elles avaient été déposées dans une petite baraque juste à côté du jeu d'échecs. La baraque a été fracturée et les pièces ont été volées, il n'en restait que quelques-unes. Heureusement on a refait un jeu, juste un mois avant que j'arrive. J'étais quand même assez chanceux, un mois plus tôt, je n'aurais pas pu faire mon film. Il n'a pas été facile non plus de convaincre les gens de la fédération locale du jeu d'échecs de me prêter l'échiquier et de trouver des gens qui acceptent de faire ce film. J'ai passé sept jours, en fait, pour persuader ces gens, et en même temps je tournais deux autres sujets qui ont tous les deux avorté pour des questions de temps, ça arrive souvent dans la course ! Ce sont des films que j'ai commencés avec un plein soleil et, à la moitié de mon séjour, il s'est mis à pleuvoir, donc je n'ai jamais réussi à les finir puisque les séquences que j'avais tournées n'auraient pas été raccord.

Ce temps gris, ça m'ennuyait beaucoup pour le jeu d'échecs ; j'aurais voulu du soleil, mais finalement je crois que ç'a été beaucoup plus fort avec un ciel gris parce que, un joueur blanc, des joueurs noirs, le temps gris et la ville grise... Oui, je crois que ç'a été beaucoup mieux ainsi.

C'est un film vraiment très réfléchi. J'avais écrit mon texte, je savais ce que j'allais tourner avant de commencer à appuyer sur le bouton. Quand, à un moment, je dis : « La guerre lui a appris à tuer, mais aussi à réfléchir », je m'étais demandé, dans la limite de ce que je pouvais filmer comme ça, dans la rue, ce qui pourrait illustrer le mieux cette phrase et j'ai trouvé une librairie où il y avait des livres politiques. Alors le jeune Noir marche, s'arrête devant la vitrine pour regarder des livres. Quand je dis d'un autre joueur : « Il est soucieux des lois », je me suis aussi demandé : « Quelle est la meilleure façon de le montrer ? » Alors j'ai pensé à le faire s'arrêter à un feu rouge alors qu'il n'y avait pas de voitures.

C'était en somme une série de petites touches imaginées. Ce n'était pas un reportage, je crois, c'était un film construit. Pour montrer la situation politique, j'aurais pu essayer d'avoir des interviews, interroger les gens dans la rue, faire parler des leaders politiques. En Afrique ou ailleurs, les hommes politiques ce sont des gens qui ne refusent jamais une interview. Pour eux le mot télévision est magique. Mais pour moi il était meilleur de montrer ça à travers une fable. On m'a rapporté d'ailleurs qu'un juré — je crois que c'était Jacques Derey, le réalisateur — a dit : « Ça pourrait être le départ d'un film d'une heure et demie. »

Anne-Christine Leroux
FRANCE

L'Amazonie, c'est le seul endroit où j'ai eu peur. On a tous peur de quelque chose, et c'est souvent ridicule. Peur de l'orage, de la maladie, des voleurs ou de la nuit... C'est quelque chose d'irraisonné, de difficilement contrôlable. On a peur, on ne sait de quoi, on ne sait pas vraiment pourquoi.

Quand je suis arrivée en Amazonie, j'étais crevée. Je n'avais pas dormi de la nuit et j'avais eu bien des problèmes pour organiser mon expédition. J'avais raté le dernier coucou de la journée et devais encore attendre sept heures à l'aéroport avant le prochain. Je ne sais pas ce qui s'est passé dans mon cerveau, mais je me suis mise à ressasser toutes les mises en garde qu'on m'avait faites avant mon départ de Rio. « Tu es folle, n'y va pas toute seule ! C'est dangereux ! C'est pas des enfants de chœur, là-haut ! » Et tout à coup, j'ai eu peur. Une angoisse terrible qui m'a prise et ne me lâchait plus.

J'attendais. Il faisait chaud, une de ces chaleurs équatoriales, vous savez, humides et collantes, où on respire difficilement, où chaque geste coûte un effort... et cette peur anxieuse, pesante, dans la poitrine. Énorme, vivante, je la sentais battre lourdement. C'était la seule vie dans le hall désert de ce petit aéroport merdique. Aéroport, c'est un bien grand mot, d'ailleurs, pour cette petite baraque qui fait semblant d'exister, paumée dans la forêt, à des centaines de bornes de la ville la plus proche...

Tout à coup, en face de moi, j'ai vu un étalage qui exposait des bijoux de pacotille. Dans ma tête, ça n'a fait qu'un tour : je me suis précipitée pour acheter une petite alliance en plastique doré que je me suis glissée à l'annulaire gauche. Quelle défense dérisoire ! Mariée ou non, celui qui me voudra du mal ne fera pas la différence ! Quand j'y pense maintenant, ça me paraît vraiment ridicule ! Mais pas du tout sur le moment. En fait, je n'ai pas gardé l'alliance plus d'une demi-heure. Elle mentait et me faisait honte comme un rappel de ma faiblesse. Finalement, c'est ce qui m'a permis de réagir. C'est à partir de ce moment-là que je me suis rendu compte de la stupidité de toute cette histoire. « Pourquoi as-tu peur ? Tu ne sais même pas ce qui t'attend ! Et de toute façon, que peut bien faire une petite alliance en plastique doré ! Ma pauvre vieille, tu ferais mieux d'aller dormir ! »

J'avais encore quatre heures devant moi, alors j'ai pris mon sac et suis allée m'allonger sur une table dans un coin des toilettes.

... Les types là-bas, ce ne sont peut-être pas des enfants de chœur, n'empêche qu'une fois le contact établi, ils se sont révélés formidables ! On m'a pilotée vers quelque chose qui s'appelait « pension » à en croire la pancarte rouillée qui pendait à l'extérieur. Et c'est vrai qu'à en juger par le nombre de cafards qui grouillaient dans ma chambre, c'était le régime communautaire ! On partageait tout en frères : réfectoire, dortoir et plumard !

Pendant trois jours, j'ai été l'attraction du village. On m'a entourée, questionnée, et pendant trois jours, j'ai attendu d'avoir une autorisation qui n'est jamais venue ! Quand je suis arrivée à la FUNAY, l'organisation qui s'occupe des Indiens, il y avait eu contre-ordre et l'autorisation m'avait été retirée. Je n'ai pas voulu lâcher le morceau et suis restée trois jours à parlementer avec les bribes d'espagnol brésilianisé de tout ce que j'avais pu enregistrer de la langue la semaine précédente à Rio. Rien à faire ! Je n'ai eu que le temps de rentrer à Rio, d'inventer, et de tourner en un après-midi un développement et une suite aux images des élections que j'avais déjà.

On n'aura vu, de ces premières élections démocratiques au Brésil organisées depuis des années, que la partie émergeante de l'iceberg, celle des défilés et des meetings en ville, alors que ce que je voulais montrer c'était la campagne électorale chez les Indiens. Tant pis ! Ce sont les aléas de la course ! J'avais risqué et perdu. J'en verrais d'autres !

7ᵉ SEMAINE DE COURSE

STATIONS	TÉLÉ-GLOBE-TROTTERS	REPORTAGES	ACQUIT	JURY A2	JURY SRC	JURY RTL	JURY SSR	TOTAL SEMAINE	TOTAL	NOMBRE DE REPORTAGES	MOYENNE PAR REPORTAGE	PLACE AU CLASSEMENT ESTIMÉ
RTL	A. BRUNARD	«L'enfer de Midas» (Amazonie)	371	22	29	–	27	78	449	6	74,8	1ᵉʳ
A2	A.-C. LEROUX	«Aventurier au Chili»	385	–	17	17	19	53	438	6	73	2ᵉ
RTL	M. de HOLLOGNE	«Seule sur son île» (Canada)	275	29	24	–	32	85	360	5	72	3ᵉ
A2	J.-F. CUISINE	Repos	358	–	–	–	–	–	358	5	71,6	4ᵉ
SRC	R. GUILLET	«Un autre Chili»	360	26	–	20	–	70	430	6	71,6	4ᵉ
SRC	G. AMAR	«Hong Kong 1997»	363	–	–	–	–	59	422	6	70,3	6ᵉ
SRC	M. BONENFANT	Repos	342	–	–	–	–	–	342	5	68,4	7ᵉ
SRR	Y. GODEL	«Histoire d'eau salée» (Los Angeles, U.S.A.)	281	17	18	18	–	53	334	5	66,8	8ᵉ

Raphaël Guillet
SUISSE

J'arrive au Chili. J'y ai fait un film sur un village d'architectes un peu fous (je parle là de la belle folie), un film qui n'a pas été bien compris d'ailleurs. Je ne vais pas jouer les incompris mais là, c'était flagrant. A la fin du film surtout, lorsque je dis que dans le cimetière de cette « ville ouverte » les quelques dormeurs éternels sont tous morts de « mort naturelle », sous-entendant par là qu'au Chili, un certain nombre de personnes trouvent une mort un tout petit peu moins naturelle. Cette phrase a donné lieu à une ou deux interprétations plutôt folkloriques de la part des jurés. Je sais très bien qu'il n'est pas facile de se concentrer lorsqu'on a une caméra et un projecteur en pleine poire. Mais ça prouve au moins qu'il n'y a pas que les concurrents qui font ou disent des conneries.

Bon, je venais de passer deux semaines en Argentine et, auparavant, quatre jours en Uruguay, j'avais donc plutôt envie d'échapper au reportage type sur la dictature. J'ai d'abord un peu hésité parce que j'avais la possibilité de faire un reportage sur le « samizdat » audio-visuel, tout ce qui se fait en cachette, sous le manteau, avec du matériel vidéo, dans les groupes d'opposition au régime dictatorial du général « Pinocchio ». J'aurais eu des images de transfert d'appareils vidéo, ils étaient d'accord à condition que je ne montre pas leur visage et que je ne cite pas de nom.

J'aurais pu faire un film qui aurait marché mais je me suis dit : « Je vais plutôt essayer de parler de ça par le biais inverse, en posant la question : comment, dans un pays de dictature, les gens qui n'ont pas le courage ou la volonté d'attaquer directement, de s'opposer directement, peuvent-ils survivre ? » Alors je montre des images de jeunes qui s'évadent dans un monde un peu rétro, qui s'habillent en rétro, qui vivent dans un univers plutôt d'imagination. Et ensuite les architectes qui, eux aussi, partent dans la fantaisie, en créant, sur une dune assez extraordinaire, un village très particulier, un village qui correspond à un besoin de liberté, qui viendrait du large, avec le vent du large, de la mer. A l'opposé d'un palais présidentiel.

J'ai fait ce sujet-là parce qu'il y avait une atmosphère qui me plaisait beaucoup, c'est un sujet poétique. Indirectement il parle aussi de tous les problèmes politiques. Je préférais les aborder par ce biais-là, on me l'a reproché, on a dit : « Il aurait dû taper directement dans le tas. » J'en aurais eu l'occasion, mais j'ai préféré cette formule et je ne le regrette pas.

Marc de Hollogne
BELGIQUE

Vancouver... Vancouver me remémore les instants les plus agréables de ma course. Cet « autre Canada »... je l'attendais avec impatience. Pour ses forêts, ses réserves d'Indiens, cet aspect encore vierge de la nature. Je rêvais d'aller serrer la pince à un Davy Crockett. Et puis Vancouver m'a permis de respirer le seul petit bout d'automne de ma course. Arrivant d'Honolulu et repartant pour l'Arizona, ce n'est qu'au cœur de cette Colombie britannique que j'ai eu l'occasion de photographier quelques feuillages incendiés.

Vancouver a marqué le vrai début de ma course — il était temps ! — au moment précis où je décidai de partir à la recherche de Bergy... la chasseresse d'ours qui vit seule sur son île. C'est en discutant avec un métis que j'ai pour la première fois entendu parler de celle qui allait être le sujet du reportage le plus incroyable de mon voyage. J'ai hésité à me mettre en route. Ce métis l'avait approchée deux années auparavant, alors qu'il campait plus au nord. Je craignais de parcourir tout ce chemin pour rien. Mais à partir du moment où j'ai cru en l'authenticité de Bergy, je n'aurais pas pu rester à Vancouver alors que se trouvait peut-être là-bas une légende... VIVANTE !

Après plusieurs heures de trajet, je débarque chez son plus proche voisin. Une espèce de vieux loup de mer s'exprimant dans un anglais encore plus massacré que le mien ! Comme au cinéma... l'homme me déconseille de traverser le dernier bras de mer qui me sépare encore de « la folle » comme il l'appelait. La solitude l'aurait quelque peu déboussolée. Elle n'aime pas trop les visites. Elle ne supporte plus, depuis la mort de son père, que ses chiens, ses chèvres... son bouc ! Mais le marin d'eau douce finit par accepter de me déposer en face.

Au fur et à mesure que le rafiot s'approche de l'île, j'ai le pressentiment que je vais décrocher le gros lot. Il me met une dernière fois en garde, le Surcouf : « Vous savez, les habitants du district osent venir la déranger uniquement lorsqu'un cougar rôde dans la région... c'est elle qui les piste... c'est elle qui les abat. » J'étais prévenu ! Je commence à avoir la trouille tout de même. « Elle est là ! » s'écrie le corsaire...

Effectivement, Bergy semble nous attendre. Fusil et chien à ses pieds ! Le voisin me balance sur les premiers rochers. Je m'approche donc de cette femme à la carrure du double de la mienne. J'avoue que la façon dont elle était attifée m'a davantage porté à croire que je me trouvais face à une malade mentale. Pantalon vert... chapeau mauve... chapeau à plumes ! Bergy me tend la main... quelle main ! Quelle patte ! La femme trappeur m'écrase les doigts ! Elle me fixe. Me dévisage. Les traces de griffes sur sa joue droite m'impressionnent. Ses chiens aussi !

Puis, soudainement, elle fait résonner pour la première fois un rire très aigu. Petit rire qui ponctuera ensuite bon nombre de ses phrases. Dans mon anglais d'Oxford, je lui bredouille que j'arrive droit de Paris... pour elle ! Ça la fait marrer deux fois plus.

Il pleut. On finit par pénétrer dans sa baraque. Mais auparavant, il nous a fallu traverser un jardin de ferraille. Un véritable chantier ! Tout ce qui passe dans le fleuve, elle l'empile là. Des centaines de vieux objets crasseux et rouillés. Un décor à l'image de Bergy. Surnaturel ! Mais ce qui m'a davantage frappé, c'est l'intérieur de sa tôle ! Indescriptible ! Cela dépasse l'imagination. S.O.S. les ménagères ! Si vous saviez ! Elle conserve tout ! Un nombre incalculable de petits objets, tous aussi inutiles que la ferraille du dehors ! Il fait froid. Elle lance je ne sais quel détergent dans sa cheminée, une grande flamme lèche le plafond ! Elle me propose du café. Heureusement que le marsouin d'en face m'avait averti : refuser tout ce qu'elle me proposerait. Danger de mort ! Je jette un œil au fond d'une tasse. Pigé ! Elle doit laver sa vaisselle en même temps que ses vêtements ! c'est-à-dire une fois par an... au printemps... à la rivière !

Elle finit par comprendre la raison de ma visite. Pourquoi pas ? Cela la changera de courir à longueur de journées dans la montagne. Malgré ses soixante ans ! Bref, l'ermite sympathise. Il ne me reste plus qu'à souhaiter que le temps change. Alors, dans l'attente d'une grâce solaire, la femme des bois me montre un « compagnon magique ». Elle se l'est acheté lors de son dernier passage en ville. Cet objet diabolique enregistre sa voix et lui permet de la réentendre ensuite. Elle me fait écouter ses créations. Elle chante en plus... la tyrolienne ! J'écoute. Une sirène qui enchanterait son gibier, ses ours en l'occurrence, en gazouillant la tyrolienne ! Avouez, si je ne décroche pas la timbale avec ce sujet, si mon amour de jury outre-Atlantique trouve cette fois encore quelque chose à redire... Une Robinsone Crusoë, une Davy Crockett, et une sirène d'Ulysse... Toutes à la fois dans l'objectif du petit globe-trotter !

Accroupi dans un coin de la pièce, non loin du feu, mon imagination patiente comme moi. La pluie continue à dégringoler. Impossible de dégainer ma caméra dans de telles conditions. De plus, la dent creuse n'arrange pas les choses ! J'observe Bergy. Je commence à m'habituer à elle. Cette femme défie les lois de la nature. La logique aussi. Pas d'eau, pas d'électricité, strictement aucun confort. Le XXᵉ siècle ne l'a pas contaminée, ma Bergy, ne l'a pas atteinte, n'a pas traversé le bras de mer la séparant du voisin ! Habiter au neuvième étage d'un building lui paraît bien plus dangereux, plus inconscient que de rester seule à son âge sur cette île infestée de cougars et d'ours. Quelle chance que ma route ait croisé la sienne !

Plutôt que de dormir dans sa caverne de Satan, je préfère retraverser le bras de mer en canoë et passer la nuit chez l'autre, en face. C'est lui qui me l'a vivement conseillé d'ailleurs. Je retrouve ce loup de mer avec une certaine satisfaction. Je lui annonce que Bergy a accepté que je revienne le lendemain chez elle. « Et son bouc ? » me demande-t-il. Il y tient !

Le coq va pour la première fois emplir ses poumons d'oxygène, que je pagaie déjà vers celle qui m'a empêché de fermer l'œil... tant je suis conscient qu'elle symbolisera tout ce que j'avais l'intention de suggérer dans mes films, c'est-à-dire le renoncement à une forme de robotisation... de laisser-aller. Elle symbolise bien davantage. Un mode de vie qui aujourd'hui tient de la fabulation ! Je n'ose pas y croire !

J'aurais voulu la surprendre dans ses plumes, mais ses chiens annoncent mon arrivée. Il ne pleut plus mais la luminosité n'est pas idéale. Je crains qu'elle n'ait changé d'avis. Elle arrive à ma rencontre. Surprise de me voir si matinal. Je suis en pleine forme. Heureux comme un fou ! Je ris avec elle ! Le cadre, la nature, tout aussi exceptionnels, exigent du jeune cinéaste qu'il réalise chaque plan avec soin. Avec poésie si possible ! Cela ne me pose pas de problème. Je suis amoureux de ce film. La fièvre du reportage, Bergy l'a sentie aussi ! Ce film, nous l'avons réalisé à deux. Car, comme chaque fois que j'ai approché un personnage, j'ai tout fait pour que « passe » entre lui et moi davantage que le « strict nécessaire » ! La complicité qui s'est souvent établie provient d'une certaine tendresse. Un sourire sur les lèvres de Bergy vaut mille caresses de Raquel Welch !

Dans la matinée, nous filmons les séquences où elle abat un arbre, où elle lave des vêtements à la rivière, où elle retire quelques œufs de son poulailler, où elle raconte un récit de chasse. A midi, la douche à nouveau ! je devais en être à refuser ma trentième tasse de café lorsqu'elle me propose, si le temps le permettait, de partir chasser. « Chasser quoi ? — Ben, l'ours ! » J'y songeais depuis un moment. Nous nous sommes retrouvés à grimper en montagne ! Un crachin rendait l'ascension encore plus risquée. De ces cinq mois, ce furent les instants les plus dangereux, les plus excitants. Une chasse à l'ours... une vraie !

Pour grimper, ça grimpe ! Je suis fasciné par la vitesse et l'agilité avec laquelle elle se déplace. Après quatre heures... nous avons atteint le sommet. On respire le silence. Moi, je suis comme le chien, la langue qui pend, essoufflé, assoiffé... Elle, toujours sur ses gardes, debout, scrute l'horizon. Assis, couvert de boue, je l'admire.

Je l'ai encore suivie deux heures dans les sous-bois. Cette chasse fait partie de ces quelques souvenirs qu'il nous est quasiment impossible de relater maintenant. Elle reste l'émotion la plus forte de ma course.

8ᵉ SEMAINE DE COURSE

STATIONS	TÉLÉ-GLOBE-TROTTERS	REPORTAGES	ACQUIT	JURY A2	JURY SRC	JURY RTL	JURY SSR	TOTAL SEMAINE	TOTAL	NOMBRE DE REPORTAGES	MOYENNE PAR REPORTAGE	PLACE AU CLASSEMENT ESTIMÉ
RTL	A. BRUNARD	Repos	449	–	–	–	–	–	449	6	74,8	1er
A2	A.-C. LEROUX	«Louisiane 1982»	438	–	29	27	21	77	515	7	73,5	2e
RTL	M. de HOLLOGNE	«Arizona»	360	29	23	–	21	73	433	6	72,1	3e
SRC	M. BONENFANT	«Les centenaires des Andes» (Équateur)	342	32	–	26	31	89	431	6	71,8	4e
SSR	R. GUILLET	Repos	430	–	–	–	–	–	430	6	71,6	5e
A2	J.-F. CUISINE	«Hé ! Ricksha» (Inde)	358	–	24	23	23	70	428	6	71,3	6e
SRC	G. AMAR	«Les futurs leaders du monde» (Japon)	422	20	–	24	19	63	485	7	69,2	7e
SSR	Y. GODEL	«Un pour tous» (Los Angeles, U.S.A.)	334	32	18	23	–	73	407	6	67,8	8e

Mario Bonenfant
CANADA

En Équateur, je suis arrivé la veille d'un congé de quatre jours : le congé des morts. A Quito, la capitale, pas moyen de communiquer, je ne pouvais rencontrer personne. Par chance, j'avais le sujet : « La vallée des centenaires. » Pour s'y rendre, deux autobus, quinze heures en deux jours. Ça commençait à devenir classique. Arrivé sur place, j'ai été impressionné par des nuages qui flottent. Tu te promènes dans la vallée et puis là, les nuages défilent à côté de toi. C'est vraiment une vallée magnifique. J'ai trouvé mon Polonais qui voulait finir ses jours là-bas. J'ai trouvé mes hippies qui cherchaient la tranquillité, ça faisait deux éléments, et puis les centenaires, c'est simple.

Ils étaient là. Il y avait beaucoup de gens très vieux, des bonnes femmes, tu les voyais de dos avec des grands cheveux noirs, elles se retournaient... bouh, tous ces visages... oh là là ! c'était incroyable ! Bon, j'avais une partie visuelle, j'avais une histoire à raconter, mais il fallait rendre le film vivant, à l'aide d'autres éléments. J'ai parlé de l'eau, j'ai parlé de l'hôpital qui, depuis qu'il existe, a réduit le nombre de centenaires qui se font plus facilement prendre en charge. J'ai parlé des touristes qu'on veut attirer, mais qui sont rares pour le moment à cause de l'état des routes pour aller jusque là-bas. Il n'empêche, la montagne c'était un grand événement pour moi.

En Bolivie, Nouche m'a appelé, pour me dire : « Écoute, on ne met plus de commentaires sur tes films si tu continues à enregistrer sur ce foutu magnétophone. » Ça m'a vachement impressionné. C'est vrai que je m'étais fait avoir, j'avais acheté un magnéto qui faisait tout à la fois : il indiquait l'heure, il permettait d'écouter la radio... il faisait tout mais il enregistrait un son dégueulasse.

D'accord, mais en Bolivie, trouver un magnétophone, ce n'est pas gai ! Je suis allé dans les magasins, c'était très cher et il n'y avait vraiment pas le choix. Ils m'ont carrément tous dirigé vers le marché noir. Le marché noir, c'est courant là-bas, il y a des rangées de gens qui vendent des magnétos sur le bord de la route. Et là, ils font leurs prix. J'en ai marchandé un, le soir je l'ai ouvert et j'ai fait un peu de soudure parce qu'il y avait des choses de débranchées, c'était un magnétophone volé. J'ai fait la course autour du monde avec un magnétophone volé !

Anne-Christine Leroux
FRANCE

Me voilà à La Nouvelle-Orléans. Je suis crevée. Au Brésil, j'ai attrapé une insolation. Je suis crevée et je n'aime pas les États-Unis. J'y suis déjà venue et je n'ai pas apprécié, c'est beaucoup trop matérialiste, commercial. J'ai cherché à faire un sujet, sur le jazz, mais je ne trouvais rien qui me plaisait véritablement. On m'a parlé des « cajuns », des marais, je me suis dit « pas très original », mais j'ai quand même décidé d'aller voir. Ce n'était pas très loin, j'ai loué une voiture et je suis partie. Là, j'ai eu l'impression que le temps s'était arrêté.

Toutes ces choses, de nouvelles idées qui m'arrivaient, des anciennes qui évoluaient, la machine qui tournait à toute vitesse dans ma tête et puis le « pouce », le stop, l'impression que c'était le calme, la paix, j'aurais pu rester là des siècles et des siècles. En plus, il y avait ce type extraordinaire, tout droit sorti d'un conte ; avec sa barbe, sa stature, il ressemblait à un bûcheron des temps anciens. Il avait un lien presque spirituel avec la nature, les marais, et il en parlait avec des mots extrêmement poétiques. J'ai vraiment accroché et j'ai décidé que, tant pis, même si je me plantais, je voulais faire un film sur lui parce que, après tout, ce qu'on nous demande dans la course c'est de dire ce que nous avons ressenti, les gens qu'on a vus. Et à ce moment-là, derrière la caméra j'étais vraiment contente, j'ai fait des plans qui étaient beaux, je suivais bien le type.

Le jour qui se lève sur ces marais avec les oiseaux qui s'envolent, c'est un paysage fantastique, lunaire. C'est un peu, comme dans les romans de science-fiction, avec quelque chose d'extrêmement romantique, dans le style des photos de David Hamilton aussi, avec un brouillard qui plane au ras de l'eau, ces troncs tronqués qui sortent de l'eau, qui s'arrêtent, mais qui ont de très jolies formes... De plus il y a une atmosphère de dissolution, quelque chose de désuet, quelque chose qui se décompose lentement mais qui a un passé.

C'est un peu comme des ruines avec tout le contexte romantique qu'on peut mettre autour. Et tout ça, à trois heures de voiture de Baton Rouge.

Un petit village qui s'appelle Butte-La-Rose, c'est vraiment français, et le type parlait un français des temps anciens. Il y avait là quelque chose de particulier. Si c'est cela aussi, l'Amérique, alors, j'aime !

Georges Amar
CANADA

J'arrive à Bali. Il y a un club Méditerranée. Il y a aussi un « Kentucky fried chicken », je ne sais pas si vous connaissez, un restaurant de poulet-frites aux États-Unis. J'ai été très surpris de trouver ça à Bali. Je me suis dit : « Mais enfin qu'est-ce qu'il fait ici, ce poulet ? »

Bali, si un futur candidat de la course comptait y aller, je lui déconseillerais, il n'y a rien à y faire. C'est un coin pour se reposer, un point c'est tout. Peut-être à l'intérieur de l'île, il y a des choses à voir, sinon la détente, les danseuses, c'est le piège. Il faut dire que j'avais envie de m'arrêter devant ce paysage fantastiques près de la mer. Donc je m'arrête, Nouche m'appelle et me dit : « On a perdu ton film. » Les vacances s'arrêtent, il faut se remettre au travail. J'ai trois jours pour faire un nouveau film. Je file vers Hong Kong et là, pas une personne qui parle l'anglais, contrairement à ce que l'on pourrait croire : le chinois, et rien d'autre. J'avais quelques notions journalistiques, je savais qu'en 1997, la Chine aurait théoriquement le droit de reprendre la colonie à l'Angleterre. C'est la fin du contrat avec la Grande-Bretagne. Margaret Thatcher, Premier ministre, était récemment à Hong Kong pour en discuter. J'ai pensé : « Ça peut être un bon film. » J'ai fait une série d'interviews : avec un banquier britannique qui parlait un français impeccable, avec un membre du gouvernement, avec un employé d'une usine. Je crois que j'avais un petit film bien fait. Je l'envoie, je quitte Hong Kong, j'arrive à Tokyo. Je reçois un coup de téléphone : « Ce film est flou à quatre-vingts pour cent. » Ce qui s'est passé, c'est que ma tige de « macro » s'est cassée. Alors, lorsque je faisait un zoom arrière, la mise au point se faisait comme pour un objet situé à quelques centimètres au lieu de se faire à plusieurs mètres ou à l'infini. J'avais été voir l'agent Beaulieu, à ce propos. « C'est cassé, est-ce que c'est grave ? — Non, non, si tu ne joues pas avec le macro, il n'y a pas de problème. » Moi, je n'avais pas saisi, j'avais compris seulement que ce n'était pas grave. Forcément tout ce qui était en grand plan, en grand angle, était flou. Je ne connaissais pas la technique et je m'en suis mordu les doigts. On perd un film, un autre est flou, rien ne va. Et le lendemain je devais aller filmer dans une école des maîtres du monde, un sujet en or. Je l'avais découvert à Montréal dans un journal. Dès que je suis arrivé à Tokyo, j'ai été voir l'ambassade du Canada — la seule fois où je suis allé voir une ambassade — et j'ai demandé leur aide. On m'a dit : « Non, ils n'accepteront pas, enfin on va essayer. » J'ai eu le feu vert. L'école m'a réservé une chambre, mais elle a souhaité une traductrice. Elle m'a coûté très cher, le budget d'une journée !

L'école se trouve à Chigasaki. C'est une ville à cinquante kilomètres de Tokyo, surtout connue pour sa plage, et pour le surf qu'on peut y faire. L'école en forme de monastère a été construite en plein centre de la ville. A l'intérieur on m'a laissé tout filmer, j'ai même pu dormir avec les étudiants. Le seul inconvénient était d'être réveillé tous les matins à quatre heures et demie. Pour un Méditerranéen, c'est très dur... Cette école a été créée par Matshushita, je ne sais pas si on l'a compris dans le film. On a beaucoup coupé de texte parce qu'on n'avait pas d'images à mettre dessus. On a compris quand même qu'il s'agissait des élèves des grandes écoles qui poursuivaient au-delà de leur maîtrise, et qui avaient été sélectionnés par un concours.

Ces gens-là, en fait, ils veulent tout, ils veulent devenir Premier ministre, ils veulent être dans les Affaires étrangères, président de la Croix-Rouge. Ça correspond un peu à l'E.N.A. en France, mais à Matshushita on donne un salaire aux étudiants et on leur trouve une fiancée qui les attendra... pendant cinq ans ! On y apprend la philosophie matshushita, tout en faisant du jogging, du kendo, sans oublier tout le rituel, toute la cérémonie du thé. C'était très très beau. Je crois qu'avec le stress du film perdu, et la déception du flou de Hong Kong, j'ai fait des erreurs d'exposition émotives. Certaines images étaient complètement noires. Incroyable ! Je ne sais pas comment j'ai pu faire ça, mais c'est une erreur qui m'a coûté très cher, qui m'a valu la sixième place. Je n'ai jamais pu remonter. D'autant plus dommage que le sujet était formidable.

J'avais prévu de rester deux semaines à Tokyo. Vu mes mauvaises expériences cinématographiques, je n'avais pas tellement le moral. Nouche m'a conseillé : « Tu ferais mieux de partir. » Elle avait raison. A Tokyo on se sent seul.

J'arrive à Hawaï. Hawaï, je n'ai pas pu supporter du tout. Je trouvais ça complètement hypocrite, tous ces sourires très commerciaux. Dès l'aéroport, des gens qui sourient, on sent que ce n'est pas sincère, que c'est seulement pour les dollars. Je m'attendais à trouver de très belles plages. Hawaï, on s'imagine que c'est un paradis, j'étais très déçu. Je suis resté un jour et je suis parti. J'avais prévu d'y rester deux semaines. Une semaine seulement à Tokyo. Tel-Aviv supprimé, j'étais en avance d'un mois et demi sur mon itinéraire. A ce rythme-là, je serais revenu à Paris le 31 décembre. Il fallait vraiment que je freine, que je me dise : « Tu vas t'arrêter quelque part. »

9ᵉ SEMAINE DE COURSE

STATIONS	TÉLÉ-GLOBE-TROTTERS	REPORTAGES	ACQUIT	JURY A2	JURY SRC	JURY RTL	JURY SSR	TOTAL SEMAINE	TOTAL	NOMBRE DE REPORTAGES	MOYENNE PAR REPORTAGE	PLACE AU CLASSEMENT ESTIMÉ
RTL	A. BRUNARD	«Low Rider» (San Francisco, U.S.A.)	449	28	30	—	32	90	539	7	77	1ᵉʳ
A2	J.-F. CUISINE	«Juste des gens ordinaires» (Thaïlande)	428	—	25	37	37	99	527	7	75,2	2ᵉ
A2	A.-C. LEROUX	Repos	515	—	—	—	—	—	515	7	73,5	3ᵉ
SSR	R. GUILLET	«Le don Quichotte céleste» (Australie)	430	27	21	28	—	76	506	7	72,2	4ᵉ
RTL	M. de HOLLOGNE	«Une bougie dans un verre d'eau» (La Nouvelle-Orléans, U.S.A.)	433	29	17	—	26	72	505	7	72,1	5ᵉ
SRC	M. BONENFANT	«Neptune, le pirate des eaux» (Mexique)	431	25	—	22	26	73	504	7	72	6ᵉ
SRC	G. AMAR	Repos	485	—	—	—	—	—	485	7	69,2	7ᵉ
SSR	Y. GODEL	«Speedy marathon» (Mexique)	407	25	16	18	—	59	466	7	66,5	8ᵉ

Raphaël Guillet
SUISSE

J'ai un souvenir assez précis de l'Australie. Même trois ou quatre. J'arrive en Australie début novembre après une courte escale à Tahiti, une nuit dans une discothèque très marrante avec des Français que j'ai rencontrés sur place. J'ai fait des économies de frais d'hôtel puisque mon avion partait à l'aube ! Arrivé à Sydney, pas de valise. Ce ne sera pas la seule fois d'ailleurs. Cela m'immobilise pendant ma semaine de repos là-bas, parce que je n'ai plus de pellicule, mais c'est un problème mineur. L'Australie, c'est toute une semaine à chercher des sujets dans tout Sydney. J'ai fait toutes les salles de rédaction, j'ai vraiment cherché des sujets jusque dans les égouts.

J'ai entendu parler le mardi d'un faiseur de pluie, mais il était assez loin et sans téléphone. J'ai dû envoyer un télégramme et je n'ai pas eu de réponse. J'ai donc continué à chercher des idées jusqu'au vendredi où j'ai reçu une réponse : « O.K., vous pouvez venir. » Rien de plus.

Je prends l'avion avec une personne qui travaillait comme institutrice, avec son mari, dans un tout petit bled de l'intérieur du pays. Je vais avec eux uniquement pour avoir quelques plans sur la sécheresse. J'avais besoin de ça pour donner plus de poids à mon sujet sur le faiseur de pluie, car on attend passablement de ce faiseur de pluie. On attend, mais avec un peu de scepticisme tout de même. On attend puisque, s'il pouvait faire quelque chose, ce serait vraiment une solution importante au problème de la sécheresse à l'intérieur de l'Australie. Il me fallait des images de cet ordre-là, alors j'ai passé deux jours dans ce petit village qui a un pub et une école ; les gamins font septante kilomètres matin et soir pour s'y rendre. C'est vraiment un endroit extraordinaire avec une mine de cuivre délabrée, délaissée. Tiens, j'aurais dû faire un film d'ambiance sur cette mine morte !

Après quoi, j'ai loué une voiture. Voilà un autre souvenir précis : toute cette journée en voiture en roulant à gauche, dans l'immense intérieur désertique, à faire du slalom entre les kangourous suicidaires qui, attirés par le bruit du moteur ou, lorsqu'il fait nuit, par la lumière des phares, traversaient la route. C'est un bon souvenir que cette traversée en voiture. J'avais mon cassettophone et, comme je le fais souvent quand je suis en voiture, je gueulais à tue-tête des chansons de Brel, Lavilliers, Nougaro, ils ont été mes compagnons de route. Important pour moi, parce qu'on dit que l'on fait la course en solitaire, c'est vrai, mais on s'entoure toujours de choses auxquelles on tient. Chaque fois qu'il y avait un moment difficile, je mettais mon walkman et je leur demandais de me donner un coup de main.

Après cette fabuleuse journée de voiture dans l'immensité, rythmée par la traversée de villages souvent à une seule rue, je suis arrivé chez Jack Troyer, le faiseur de pluie. J'ai vraiment été supris, on m'avait parlé d'un scientifique, et je vois un bon grand-père, un bon vivant, qui me dit : « Vous pouvez loger ici. »

Il habitait dans une espèce de petite cabane de pêcheur. Je n'ai peut-être pas assez insisté sur la cabane même. C'est maintenant que j'y repense. J'ai passé la soirée avec lui, on a mangé des poissons, pêchés la journée par son fils ; j'ai dormi, et le lendemain je me suis réveillé à l'aube (fraîche) devant une tasse de café chaud. C'était vraiment très pur. Le grand-père a fini par accepter de remonter sa machine. Il y avait des problèmes ; je vous l'ai dit, dans la présentation du film, il ne pouvait pas, pour des raisons d'exclusivité avec une télévision australienne, faire marcher l'engin. C'était un reportage donc, avant un essai véritable. Je dois le recontacter, je ne sais pas si cette machine, expérimentée en direct à la télévision, a eu du succès ou non. C'est une des choses que j'aimerais bien savoir après coup, mais pour le moment, je ne sais rien.

Je suis toujours resté un peu sceptique, mais enfin ce qui m'intéressait, ce n'était pas tant la découverte en elle-même — tant mieux si ça a marché — que l'acharnement de cet homme depuis des années et des années à vaincre quelque chose qui est dans la vie invincible, quoi : la pluie ! C'est d'ailleurs pour ça, que je l'ai appelé le « don Quichotte », parce qu'il se bat, tout seul, contre un ciel trop bleu, qu'il a décidé de faire pleuvoir. Il y a des gens qui se battent avec leur belle-mère, ou avec leur demi-frère pour une question d'héritage, Jack Troyer, lui, défie le ciel. Ses moulins à vent, ce sont des nuages à pluie, et je trouve cela beau.

J'ai passé deux jours avec lui. Je suis rentré à Sydney chez des gens que j'aimais bien. Je fais une petite parenthèse, je ne vais pas citer toutes les personnes que j'ai rencontrées pour les remercier, parce que toutes celles qui m'ont aidé en course, ou ici à Paris, le savent très bien et n'ont pas besoin de lire mes remerciements. Salut à vous ! Voilà pour l'Australie.

Alain Brunard
BELGIQUE

J'ai quitté l'Amérique Latine, je suis parti d'abord vers New York. J'avais très envie de voir New York. C'est fascinant et c'est l'angoisse en même temps. Des sujets, il y en a trop. Pourtant, j'ai perdu toute ma semaine de repos. Je n'ai rien trouvé ou trop ! Je suis arrivé à New York, une masse m'est tombée dessus. J'étais complètement abasourdi. Je me promenais dans les rues. J'étais affolé, il y a plein de gens qui parlent tout seuls. J'ai été voir les musées, je me suis un peu reposé. De là, je devais partir pour Los Angeles et puis j'ai changé mon billet pour aller à San Francisco.

Je suis arrivé la nuit, très inquiet. Je n'avais pas de contact, seulement le numéro de téléphone d'une fille qui est journaliste à la C.B.S. Je téléphone, je dis : « Je viens d'arriver, j'ai besoin de parler à quelqu'un... » Elle me répond : « Pas de problème, tu viens à la maison... »

J'arrive chez elle, il était très tard et elle avait fait un énorme dîner. Il y avait plein de gens, c'était assez extraordinaire, des journalistes, Louis Malle aussi qui était là, il y avait Sidney Rome et sa sœur, encore plus jolie. La fille m'accueille, pourtant elle ne m'avait jamais vu.

Je commence à expliquer ce que je fais. Et tout le monde commence à me chercher un sujet à San Francisco : « Oui, il faut que tu fasses ceci, il faut que tu fasses cela... » A un moment donné, Louis Malle vient vers moi et dit : « Je fais un film sur les low-riders, enfin, j'en emploie quelques-uns pour ma production. » Les low-riders sont des émigrés portoricains qui roulent dans des voitures à pompe hydraulique et qui vont draguer les filles dans les rues le samedi soir. Ils ne vivent que pour leur voiture, les filles, la bagarre et la frime. Louis Malle me propose : « Tu peux venir sur mon tournage, demain, tu rencontreras un de ces gars, tu vas lui parler, tu verras s'il accepte de te laisser filmer. »

Et le garçon a accepté. Curieux personnage : il travaillait la journée à la banque des États-Unis, et la nuit, il allait se battre à coups de chaîne dans les rues. C'est vraiment surprenant, une double vie comme ça. Avec moi, il a été très gentil, il a tout fait pour m'aider.

J'ai quitté San Francisco en pensant à Sidney Rome. Oui, parce que sa rencontre a été un grand moment de ma course... Elle est tellement belle et puis elle s'est prise au jeu aussi. Avant de partir, elle est venue — c'est quelque chose que je n'oublierai pas —, elle est venue m'embrasser en me disant : « Bonne chance, il faut que tu tiennes le coup... »

A ce moment-là, je n'étais pas très content de ce que j'avais fait. Elle m'a remonté le moral, c'était tellement inattendu.

Jean-François Cuisine
FRANCE

Les Indes. Le contact avec l'Inde, pour moi c'est vraiment très dur dès l'aéroport, un aéroport bondé d'où on met trois heures à sortir. Des vitres avec tous les gens qui regardent : d'un côté les riches, de l'autre les gens qui viennent voir les riches. Pourtant je suis arrivé à cinq heures et demie du matin. En général, quand on arrive à cette heure-là dans un pays, il n'y a pas grand monde. Là, il y avait déjà la foule. Quand vous sortez, les gens vous agrippent. Toujours ce contact physique direct en Inde. Les gens ne restent pas à un mètre de vous, ils vous touchent pour attirer votre attention.

Quand il y a vingt personnes qui font cela et que vous avez beaucoup de matériel avec vous, vous commencez à avoir une petite angoisse.

Oui, mon premier contact avec l'Inde est négatif. C'est la première fois que j'ai souffert du racisme, la seule fois au cours de cette course que j'ai entendu sur mon passage « white face », visage pâle. J'étais le visage pâle, le Blanc. Et parce que j'étais le Blanc, le compteur des taxis se multipliait par dix, et moi qui au début ne savais pas lire le compteur, je payais. Je crois qu'on se fait avoir dans tous les pays, mais il y a des pays où l'on vous a gentiment, et d'autres où vous êtes la bête à payer, simplement.

Oui, l'Inde c'est un mauvais souvenir. En plus, il y a cette odeur perpétuelle de curry, il y a ces restaurants où l'on ne parvient pas à apaiser sa faim. Il y a cette atmosphère, cette double pression : le pouvoir tâtillon et le poids des castes. C'est vraiment une chape de plomb. Je me suis enfui de l'Inde. J'ai passé deux jours à l'aéroport à attendre le premier avion pour partir.

La Thaïlande. Dans l'avion, une anecdote amusante — je vais encore me faire traiter de rigolo. En partant de Calcutta, j'ai rencontré un couple de Français qui connaissaient bien Bangkok, mais eux continuaient sur la Corée. Ils m'ont demandé : « Tu connais un hôtel à Bangkok ? » L'avion arrivait à trois heures du matin. J'ai répondu : « Je ne connais rien. » Ils m'ont dit alors, avec un petit sourire : « Va à tel hôtel, tu verras, tu aimeras bien. » Arrivé à l'aéroport, j'ai pris un taxi, j'ai donné le nom de l'hôtel, et quand je suis arrivé, j'ai compris leur petit sourire : Il y avait à peu près deux cents filles qui attendaient dans le hall devant la réception. Ce n'était pas tout à fait le style d'hôtel fait pour la course, je suis reparti.

A part cela, la Thaïlande c'est superbe. Les petites échoppes dans les rues, et la cuisine ! J'aime bien manger. Arrivant de l'Inde où j'étais obligé de commander beaucoup de plats pour me rassasier, quand je suis rentré dans un restaurant thaïlandais, j'ai commandé trois plats. J'avais beau avoir faim, très faim, je n'ai jamais réussi à manger le dixième de ce qu'on m'a apporté, et pourtant c'était vraiment succulent. Et puis ces gens qui sourient à longueur de temps. Je sais bien que le sourire asiatique, on dit que c'est comme un masque. Mais c'est quand même agréable de parler avec quelqu'un qui vous sourit. En Inde, tout le monde m'avait fait la tête à longueur de temps. Par contraste, je me suis senti tout de suite bien en Thaïlande.

J'avais un contact : une femme qui travaillait pour un laboratoire pharmaceutique. En voiture, elle m'a cité au moins dix sujets différents. Elle y avait pensé, elle les avait notés... Vraiment c'était le contact en or, tel que n'importe quel télé-globe-trotter le rêve. C'est elle qui m'a parlé la première de l'opération « Handicap international ». Dès qu'elle m'en a parlé, je lui ai dit : « Voilà exactement le genre de sujet que je ne veux pas faire. »

Ça vous paraît gros mais je ne voulais pas faire de sujet misérabiliste. Je m'étais promis au départ que je ne filmerais jamais de gosses mourant, d'animaux qu'on massacre, que je ne ferais pas pleurer les gens. Elle m'a dit : « J'ai pris un rendez-vous avec les gens qui s'en occupent, de toute façon on peut passer, on a un quart d'heure... » On est arrivés chez les gens, des Français. Une heure après on était toujours là, ils m'ont montré des photos et là, le sujet a commencé à m'intéresser. J'y ai réfléchi pendant une journée, le gars m'avait dit : « Tu peux venir, on t'emmène. C'est à la frontière cambodgienne. Si tu ne veux pas filmer, tu ne filmes pas. De toute façon, il y a plein d'autres choses. Nous, on aime beaucoup la course ; si tu ne veux pas faire le reportage sur nous, eh bien, ce n'est pas un problème. » J'ai hésité : pourquoi ne pas partir à la frontière cambodgienne ? C'était intéressant de pouvoir passer tous les points de contrôle de l'armée thaïlandaise, parce que, seul, il est impossible d'approcher de la frontière. On part. C'était la première fois que je sentais vraiment un état de guerre. Arrivés au dernier contrôle, des sacs de sable partout, des projecteurs allumés, la route complètement vide, des sentinelles qui sortent des bas-côtés... Ma vitre était baissée et je me suis retrouvé avec un fusil, le canon pointé juste au ras des yeux, c'est le genre de choses que je n'aime pas.

Avec le médecin français qui me conduisait on est arrivés à la dernière ville avant la frontière cambodgienne. Il y avait une soirée avec tous les membres des associations humanitaires du coin, dans une grande villa avec une terrasse. Les gens dansaient, riaient, buvaient. C'était la fête. Juste derrière on voyait et on entendait le bruit d'un bombardement. C'était les Vietnamiens qui étaient en train de bombarder un camp de Khmers rouges ; la villa était au kilomètre 2 au-delà de la frontière. Le camp des Khmers rouges était juste de l'autre côté. Ça m'a vraiment fait penser au film *Mash,* ces gens qui riaient ; pour eux, c'était un petit peu la soupape de sûreté... Il y avait une grosse tension à ce moment-là sur la frontière, deux villages du côté thaïlandais avaient été bombardés, notamment avec des produits toxiques, des gaz.

Le lendemain, j'ai été voir les handicapés, ceux dont mes nouveaux amis, de jeunes médecins lyonnais, s'occupent là-bas. J'y suis allé sans caméra, simplement pour voir. Là, je me suis dit qu'il n'y avait pas d'autre sujet possible. Le soir, j'ai écrit un pré-commentaire avec ce qui me paraissait intéressant au niveau image. On en a parlé avec les médecins ; le commentaire leur plaisait, il est très bref. J'imaginais des images, surtout l'image finale : un paysan qui s'en allait, avec une prothèse, dont on comprendrait qu'il vivrait juste comme quelqu'un d'ordinaire. Les médecins m'ont dit : « Bon, c'est possible. » Le lendemain j'ai commencé à tourner, j'ai pris tous les plans d'atelier. Le surlendemain, on s'est promenés parmi les paysans thaïlandais.

Cette journée-là a été vraiment une journée pleine d'émotion. A six heures du matin nous sommes allés voir un pêcheur sur une rivière, qui pêchait avec une prothèse que les médecins français lui avaient appris à fabriquer lui-même. La rivière tenait lieu de frontière : d'un côté le Cambodge, de l'autre la Thaïlande. Il a sauté sur une mine entre les deux pays, c'est comme ça qu'il s'est fait arracher une jambe. Il nous a invités chez lui. De sept heures à dix heures du matin, on a mangé, assis par terre. Il y avait sa mère avec une amie, elles ont chanté ; ça ce sont des moments qu'on garde pour soi, qu'on ne partage pas, parce que c'est impossible. Ensuite on a trouvé un chauffeur d'autocar, appareillé lui aussi. Il était d'autant plus superbe qu'il était bien « parti », il s'était déjà envoyé deux bouteilles d'alcool local. Tous les gens à l'intérieur de l'autocar rigolaient, chantaient, ils savaient pourtant très bien qu'il était complètement rond et qu'en plus il conduisait avec un morceau de bois à la place d'une jambe. En fait, je voulais simplement le voir monter dans son véhicule et voir le camion partir. Il m'a dit : « Ah non, pas question. » Alors ils ont descendu tous les bagages, il a tenu à les remonter sur le toit du car, il voulait absolument que je le filme.

Le soir, il y a eu le match de volley entre ces garçons qui tous étaient amputés. Ils m'ont oublié très vite, ils étaient vraiment pris par le jeu. Il y avait un enfant, un jeune garçon de huit ou dix ans, je ne sais pas et je crois qu'il ne le savait pas non plus exactement. Il éclatait de rire à longueur de temps, à chaque fois qu'il y en avait un qui se cassait la figure, qu'il y avait une balle qui se perdait. A la fin, il s'est mis à jouer lui aussi, mais pas au volley, il jouait au football, avec sa jambe de bambou. A ce moment-là, j'ai eu un problème pour continuer à le filmer, tous ces gens qui éclataient de rire, je ne sais pas, peut-être que j'étais fatigué aussi, mais il y avait de la buée dans mon viseur. Je ne pouvais pas le montrer, alors j'ai dit : « J'ai un petit problème avec ma caméra. » Et j'ai été me mettre dans un coin. Je crois que j'étais fatigué, enfin, c'était plutôt émouvant. Voilà.

Yves Godel
SUISSE

Los Angeles : j'ai fait un film que j'ai appelé « Histoire d'eau salée » et qui était dans le même esprit que « Battery Beach » à la différence que, là, il y avait une histoire : ces bains d'isolation, ces espèces de cercueils dans lesquels on entre pour flotter et où on paie vingt dollars pour se relaxer une heure sans rien entendre, sans rien voir.

J'avais plusieurs manières de traiter le sujet. Je pouvais prendre quelqu'un qui en revienne et, l'interviewer sur ses impressions. Mais je me suis résolu égoïstement à expliquer comment moi j'avais ressenti cette expérience.

Il fallait de toute façon que je vive moi-même l'aventure avant de faire le film, c'était la moindre des honnêtetés. Alors, est-ce que j'avais la possibilité de traduire ce que j'avais ressenti dans cette espèce de cercueil par des images ? Moi, j'estime que oui. Mais je crois que c'est le film qui a provoqué le plus d'opinions contradictoires. Il y a des gens qui ont adoré et d'autres qui ont détesté... On m'a demandé si on avait le temps, en trois ou quatre jours, de traduire par des images impressionnistes ce qui peut vous passer dans l'esprit quand on est dans une certaine situation, en somme si on peut réaliser un film qui a un caractère de fiction en un temps si bref.

Moi, je pense que oui.

Je suis entré au Mexique par la voie la plus rapide et je suis entré dans le sujet sur les bateaux de course à toute vitesse.

J'ai rencontré, à l'aéroport de Los Angeles, un journaliste américain, photographe, qui allait justement à cette course de bateaux. Il m'en a parlé, il me l'a décrite comme quelque chose d'extrêmement impressionnant, en plus il m'a dit qu'il pouvait m'introduire. Lorsqu'on est arrivés à Mexico à deux heures du matin, il m'a dit : « A sept heures, on a rendez-vous avec l'équipe de télévision de Mexico. Viens, pas de problème, ça dure cinq jours, on va se balader. » Là, c'était vraiment l'aventure !

L'équipe de télé, à mourir de rire ! Des gens qui buvaient toute la journée toute la nuit, j'ai même surpris un cameraman avec une caméra dans une main et une bouteille de tequila dans l'autre... J'aurais dû sans doute faire un film sur eux ou sur la course de bateaux vue par eux, mais quand on tourne sur cinq jours et qu'on ne sait pas du tout ce qui va se passer, on essaie de réfréner un peu son envie de filmer. On se dit : « Oui, mais après, il va se passer des choses, alors attendons, attendons. »

J'ai tellement attendu que je suis tombé malade.

C'était le troisième jour, j'avais juste fini de tourner ma dernière bobine, donc au niveau image c'était terminé. L'hélicoptère nous avait déposés en plein centre du pays, au bord d'une rivière. On crevait de chaud, et l'hélico nous a oubliés. On est restés cinq heures sous le soleil, mourant de soif, suant à grosses gouttes.

Rentré dans le village le plus proche, je me suis littéralement rué sur des litres d'eau au citron, du jus de citron dont je ne voulais même pas savoir la provenance, je pensais d'abord boire et puis après... on verrait.

Je commençais à me sentir mal, j'avais l'impression d'avoir attrapé une insolation pendant cette journée au soleil. Après il a fallu retourner à Mexico. J'étais avec un ami belge rencontré là-bas, un photographe. Nous avons fait cinq heures de voiture, je gisais sur la banquette arrière en vomissant tous les dix kilomètres. J'étais très mal, mais je mettais toujours ça sur le compte de l'insolation.

Ce Belge avait un appartement à Mexico. Lui devait partir mais il me l'a prêté. Je me suis donc retrouvé seul, plus ou moins agonisant, mais heureux d'avoir un chez moi. Le Club Méditerranée se trouvait juste en face, l'un des employés m'a conduit chez un médecin puis m'a apporté des médicaments. Je suis resté trois jours sans pratiquement voir personne, sans rien manger et en me disant que cette insolation durait sérieusement.

A la fin du troisième jour, j'ai voulu téléphoner chez Nouche à Paris. C'était dans la nuit, je commençais à vomir du sang. Là, j'ai paniqué. J'avais avec moi une petite brochure médicale ; on y décrivait la typhoïde, avec comme premiers symptômes les vomissements de sang. Je me suis dit : « Ça y est, je suis foutu, c'est fini, la course c'est fini. » Vraiment j'ai cru que j'allais crever, que même les compagnies d'assistances les plus rapides n'arriveraient pas à me sortir de là. J'ai joint Noëlle, elle m'a rassuré, mais je sentais bien qu'elle était un peu nerveuse. Elle m'a dit : « Je vais avertir Roger et j'alerte Europe-Assistance. » Dans la matinée, un médecin est venu, un Français. Lui a tout de suite vu que ce n'était pas la typhoïde, que c'était une infection gastro-intestinale — elles sont assez violentes, au Mexique, paraît-il, et assez courantes chez les touristes.

N'empêche, cette nuit-là, ça avait été terrifiant, à cause du sang qui m'avait beaucoup impressionné. En fait, je saignais du nez — peut-être à la suite de l'insolation —, j'avalais du sang et je le vomissais ensuite. Mais je n'avais pas fait le rapprochement. C'est vraiment l'histoire type de l'isolement dans la course. Et puis, je me suis refusé à téléphoner pendant pas mal de temps, j'ai traîné. Je ne voulais pas qu'on sache cette histoire, par fierté personnelle. J'étais déjà mal classé à ce moment-là, je ne voulais pas que les gens se disent « et en plus il est malade. » J'avais peur qu'on me rapatrie.

Par la suite, j'ai regretté d'avoir fait cette cassette où je raconte cette histoire parce que je ne voulais pas récolter des points pour ça. Par contre, ce que j'ai trouvé vraiment d'un nul, c'est la remarque de M. Desplat lorsqu'il a posé la question à l'antenne : « Est-ce qu'il a tourné son film avant, après, ou pendant sa maladie ? »

Quand on lui a répondu que j'avais tourné ça avant : « Ah ! oui ! bon ! je ne peux pas en tenir compte... » J'ai trouvé ça tellement mesquin, je lui en aurais voulu s'il en avait tenu compte. Mais je lui en veux encore plus d'avoir dit qu'il n'allait pas en tenir compte et d'avoir posé la question à l'antenne. Je suis dur, mais vraiment, je trouve que c'est mesquin, que c'est petit, que c'est vraiment de « l'épicerie ». M'aurait-il donné plus de points si j'avais tourné les images pendant ma maladie ? Est-ce que c'est ça la course ?

Enfin, cette aventure ne va pas me laisser seulement un goût d'amertume. D'abord je dois dire que l'expérience du tournage de ce film a été une des plus intenses dans la course. Et tomber malade, c'est aussi une expérience. Effectivement, il y a eu une efficacité incroyable à partir du moment où j'ai téléphoné à Paris, tout est allé à une vitesse folle et tout s'est arrangé en deux temps trois mouvements. Le médecin qui est venu me voir, plusieurs fois d'ailleurs, m'a non seulement rassuré sur ma santé, mais il m'a remonté le moral. En plus, entendre parler français, c'est un petit détail mais qui fait tellement plaisir dans des situations comme celle-là, vraiment il y a eu une complicité très grande.

J'ai eu la preuve que, finalement, on n'était pas complètement paumé. C'est une chose rassurante parce qu'il y a vraiment des situations où on se pose la question. A la limite, c'était un bon test.

10ᵉ SEMAINE DE COURSE

STATIONS	TÉLÉ-GLOBE-TROTTERS	REPORTAGES	ACQUIT	JURY A2	JURY SRC	JURY RTL	JURY SSR	TOTAL SEMAINE	TOTAL	NOMBRE DE REPORTAGES	MOYENNE PAR REPORTAGE	PLACE AU CLASSEMENT ESTIMÉ
RTL	A. BRUNARD	«Les gens du temps passé» (Australie)	539	24	22	–	25	71	610	8	76,2	1er
A2	J.-F. CUISINE	«Les bonzes» (Thaïlande)	527	–	26	20	25	71	598	8	74,7	2e
SSR	R. GUILLET	«Ceux qui restent» (Indonésie)	506	28	28	28	–	84	590	8	73,7	3e
A2	A.-C. LEROUX	«La dialectique du cheveu» (Los Angeles, U.S.A.)	515	–	23	23	27	73	588	8	73,5	4e
SRC	M. BONENFANT	«Les chats pachas» (Los Angeles, U.S.A.)	504	30	–	26	28	84	588	8	73,5	4e
RTL	M. de HOLLOGNE	Repos	505	–	–	–	–	–	505	7	72,1	6e
SRC	G. AMAR	«Rêve en Californie»	485	23	–	20	22	65	550	8	68,7	7e
SSR	Y. GODEL	Repos	466	–	–	–	–	–	466	7	66,6	8e

11ᵉ SEMAINE DE COURSE

STATIONS	TÉLÉ-GLOBE-TROTTERS	REPORTAGES	ACQUIT	JURY A2	JURY SRC	JURY RTL	JURY SSR	TOTAL SEMAINE	TOTAL	NOMBRE DE REPORTAGES	MOYENNE PAR REPORTAGE	PLACE AU CLASSEMENT ESTIMÉ
RTL	A. BRUNARD	«Papou Lipstick» (Nouvelle-Guinée)	610	26	28	–	29	83	693	9	77	1ᵉʳ
A2	A.-C. LEROUX	«Le dernier des percherons» (Japon)	588	–	28	25	32	85	673	9	74,7	2ᵉ
A2	J.-F. CUISINE	Repos	598	–	–	–	–	–	598	8	74,7	2ᵉ
SSR	R. GUILLET	«Pourtant que la montagne est belle» (Indonésie)	590	24	29	27	–	80	670	9	74,4	4ᵉ
SRC	M. BONENFANT	Repos	588	–	–	–	–	–	588	8	73,5	5ᵉ
RTL	M. de HOLLOGNE	«Survie en Amazonie» (Brésil)	505	28	23	–	25	76	581	8	72,6	6ᵉ
SRC	G. AMAR	«Mosquée au Nouveau Mexique» (U.S.A.)	550	24	–	23	24	71	621	9	69	7ᵉ
SSR	Y. GODEL	«Le bal des gens pires» (Mexique)	466	21	25	24	–	70	536	8	67	8ᵉ

Anne-Christine Leroux
FRANCE

J'ai énormément aimé le Japon. Pourtant, dans l'avion de Japan Air Lines j'avais été agacée. Les hôtesses passaient entre les sièges et rangeaient, redressaient, vérifiaient que chaque chose était exactement, très exactement à sa place, que rien ne dépassait, n'était d'un pouce de travers !... Alors, imaginez quand je suis arrivée au Japon ! Je ne supporte pas l'ordre. J'aime une sorte de flou artistique, de désordre vague autour de moi. Je déplace les choses, les idées, et je les amoncelle dans un coin. Plus tard, quand le temps est venu, j'y reviens. Un peu de foutoir, c'est quelque chose qui vit, c'est quelque chose de personnel ! Eh bien, au Japon, c'est l'inverse ! C'est un ordre rigoureux, discipliné, mécanique... et j'ai été fascinée ! C'est un incroyable pays où tout, même les sentiments qu'on lui porte, est contradictoire. Le Japon, c'est un peu comme une histoire d'amour : je l'ai détesté et adoré.

Comment aimer cette organisation systématique qui vous déshumanise, cette mécanique inhumaine qui vous broie, quand vous êtes un petit grain de sable dans les rouages ? Ce petit grain de sable qui risque de faire dérailler toute la machine parce qu'il ne comprend pas, ou refuse de comprendre, qu'il faut se plier, s'effacer, se fondre dans le moule ?

Ah, je m'y suis cassé les dents au Japon ! Et c'est probablement pour ça que j'ai énormément aimé !

Un type d'une compagnie de commerce de bestiaux m'attendait à l'aéroport. J'avais pris contact avec son organisation au mois d'août après avoir lu un article sur des courses de chevaux percherons à Hokkaïdo, l'île la plus au nord du Japon. Dès le lendemain, nous sommes partis là-haut.

Je n'en revenais pas ! C'était la première fois que je me trouvais dans un pays asiatique. Quand je suis arrivée sur le terrain de courses, j'ai été fascinée par les roulements mécaniques des voix japonaises dans les haut-parleurs, et j'ai été surprise par le froid, parce que je venais de San Francisco. Les parieurs autour de moi ne me voyaient d'ailleurs pas du tout, ils faisaient leurs petits calculs. C'était moi qui découvrais plein de choses. En plus, j'avais l'esprit en repos, je n'avais pas à m'inquiéter de prendre contact avec des gens pour trouver un sujet, il y avait de l'image.

Donc, j'ai filmé les courses de percherons et Dieu sait si, avec le type qui m'escortait, ça n'a pas été évident. J'avais l'impression d'avoir une duègne derrière moi, qui me rattrapait partout. Je ne pouvais rien faire sans qu'il soit sur mon dos. Il parlait un anglais à moitié incompréhensible et me rattrapait par la manche dès que je m'élançais pour filmer. Moi, je commençais vraiment à m'énerver ! Je saisissais toutes les occasions pour me défiler en douce et m'approcher au maximum des chevaux. J'avais remarqué qu'il en avait un peu la trouille — ce sont des bêtes de belle taille, passablement énervées par la course — et qu'il hésitait parfois à venir me chercher. Ce petit jeu de cache-cache commençait à m'amuser follement. D'ailleurs, mon bonhomme a fini par abandonner. Avec la complicité des jockeys qui rigolaient dans leurs casaques, j'ai pu m'approcher autant que je voulais des percherons.

J'ai sillonné l'île dans tous les sens pour aller chercher, ici, les courses, là, les haras et, ailleurs, les directeurs... J'ai vu le modernisme accéléré dont je parle dans mon film. Les Russes se sont installés à l'île Sakhaline et le gouvernement japonais a peur de leur influence. Alors il japonise et modernise Hokkaïdo à toute vitesse.

Pourtant, ce n'est pas encore le Japon, même si ça le devient progressivement, le paysage est complètement différent. En plus, il neigeait, il y avait de nouveau un émerveillement, une découverte de ma part puisque après tous ces pays chauds je retrouvais la neige. Les gens étaient beaucoup plus humains que j'ai pu le voir ensuite à Tokyo. Il n'y avait pas ce rythme infernal, cette mécanique inhumaine... et puis il y avait cette nature, j'avais toujours imaginé le Japon complètement urbanisé et, là, je traversais des lieux très sauvages.

J'ai commencé à voir le sens que le reportage pouvait prendre. Il a bien fallu que je lui trouve une fin. J'ai pensé aux petites motos parce qu'il fallait quelque chose pour montrer que les percherons, c'était l'image d'un monde qui allait disparaître...

Si je retourne au Japon — ce qui est très probable, une de mes dernières lubies est d'apprendre le japonais —, ce n'est pas dans les villes mais dans les villages que j'aimerais aller.

Alain Brunard
BELGIQUE

Je suis parti vers l'Australie en transitant par Tahiti — cela en flash, je suis resté une journée. Et puis donc l'Australie et la Papouasie-Nouvelle-Guinée. Je suis arrivé à Port Moresby. L'impression, c'est assez fou, un tout petit aéroport, quelques maisons en préfabriqué. En plein Pacifique, je retrouvais un peu l'Afrique, le même paysage désolé, la même couleur de peau aussi, je ne m'attendais pas du tout à tout ça. Je discute avec une ethnologue rencontrée sur place, elle me parle de guerriers papous qui se trouvent à trois-quatre heures de la capitale et qui vont célébrer la venue de la saison des pluies. Elle m'explique qu'il y a toute la cérémonie du maquillage sur laquelle elle faisait une étude et qui est intéressante.

On part dans un vieux camion. Son propriétaire était un missionnaire, rouge écarlate, avec un nez immense. Il chantait — c'était un Irlandais —, il buvait, il avait sa bouteille de whisky et il roulait comme un fou, j'ai cru qu'on allait mourir vingt fois. Moi, j'étais avec l'ethnologue derrière, dans ce camion bondé de Papous. On arrive au campement de guerriers. L'ethnologue, qui parlait la langue, discute avec l'un d'eux pour lui demander s'il accepterait que j'assiste à toute la cérémonie du maquillage. En fin de compte, il accepte, je peux filmer tout ce que je veux. Par la suite, au Népal, j'ai fait un autre film à caractère ethnologique. Un choix qui correspondait à deux choses. A ma curiosité, certainement, et au fait qu'on peut parfaitement cerner ces sujets en cinq jours.

Ça se résume en effet dans une cérémonie, mais tout ce qui se passe est très intense. On ne se rend pas compte, on se dit : « C'est une danse. » Oui, mais chaque geste a une signification précise, c'est un appel aux dieux, c'est très important. Quand on vous explique le fin fond des choses, le fin fond de la gestuelle, ça prend des dimensions immenses.

Donc, je tourne ce film que j'ai intitulé « Papou lipstick. » Le soir, le missionnaire était déjà rentré à Port Moresby. Il était une heure du matin. On était là, tous les deux avec l'ethnologue, sur la route, en attendant qu'un camion passe — il en passe un toutes les deux heures. Un camion s'arrête, dedans cinq jeunes, tous soûls. « Oui, on va vous emmener à Port Moresby, pas de problème... » On monte. Une religieuse, qui témoigne d'ailleurs dans mon film, qui est là depuis toujours — j'avais logé à la mission des sœurs —, nous voit partir. Elle connaissait les cinq types qui nous avaient chargés, elle savait que c'était ce qu'on appelle là-bas des raskals, des demi-gangsters, qui nous auraient détroussés en route. Affolée, elle monte avec d'autres gens dans un camion de la mission, à notre poursuite. Nous, on roulait dans l'ignorance de tout mais avec des embardées terribles.

A un moment donné, on s'est arrêtés et on m'a demandé de prendre le volant, j'ai accepté. Je suis reparti. La fille commençait à avoir très peur parce que les quatre types, derrière, étaient en train de l'ennuyer. Elle connaissait l'endroit et me dit : « Prends à gauche, prends à gauche... » On est arrivés dans un petit village où le camion de la mission nous a rejoints.

« Il ne faut pas continuer avec eux, revenez, vous allez vous faire attaquer dans les plantations de caoutchouc. » On ne savait plus très bien quoi faire, moi j'avais envie de rentrer à Port Moresby parce qu'il ne me restait plus qu'une journée pour faire mon commentaire et, après, je devais repartir pour Hong Kong. Tout compte fait, on est retournés à la mission, on y a mangé, puis ils nous ont ramenés avec un autre camion à Port Moresby.

Raphaël Guillet
SUISSE

L'Indonésie. J'y tournerai deux sujets, le premier après la rencontre d'un ami suisse, Herman, qui avait travaillé en Indonésie et qui se trouvait en vacances là-bas. Il m'a emmené voir les dockers, ça m'a intéressé parce que je suis assez attiré par les ports en général ; peut-être parce que je suis suisse et qu'on n'a pas de ports maritimes. Il y a quelque chose de mythique dans les ports. Les départs, les arrivées, c'est la même chose pour les gares et les aéroports, j'aime bien ça, il y a toute une mythologie autour qui me plaît beaucoup.

Chez les dockers, il y a aussi cette mythologie, ça me rappelle les bouquins de Jack London. Jack London, Gorki, avaient travaillé comme dockers dans leurs années difficiles. Ce fut donc mon premier sujet : « Ceux qui restent ».

Mais c'est surtout du deuxième film dont je voudrais parler. Je vais le faire au présent, ça fera plus récit d'aventure... J'avais d'ailleurs eu envie cette semaine-là de jouer au grand reporter. Faut jouer dans la vie, et j'y mettais tellement d'application que je ne me prenais pas pour n'importe qui.

Six heures du matin, gare de Djakarta. But de la journée : arriver à Tasikmalaja, la ville la plus proche du volcan et, si possible, entrer en contact avec la Croix-Rouge locale. Quatre heures de train, cinéma permanent, des paysages pleins les yeux, la vie au ras du sol. Le train c'est tellement mieux que l'avion : dialoguer avec les nuages, ça devient vite ennuyeux. Bandung, tout le monde descend. Trois heures et demie de bus dans un trafic inquiétant. J'emporte avec moi les quelques kilos de documentation que m'a fournis le bureau des Nations Unies de Djakarta. J'aurais préféré qu'ils me procurent un visa de tournage. Négatif. Alors j'ai pris leur paperasse ; je ne suis pas très studieux : j'ai lu l'introduction.

Arrivée à Tasikmalaja ; en bétchak (taxi-vélo) jusqu'à l'hôtel où j'espère entrer en contact avec des scientifiques occidentaux qui pourront peut-être m'aider à filmer sans visa. Partis depuis deux jours. En route pour le siège de la Croix-Rouge locale : super, les bétchaks ! Un des responsables de la Croix-Rouge : « Oui, nous sommes prêts à vous accompagner près du volcan si vous avez un visa de tournage. » Un visa c'est trois semaines d'attente à Djakarta. Retour à l'hôtel, j'aime pas les bétchaks. Et puis cet hôtel a plus de cafards et de moustiques que d'étoiles. Pas de douche. Même pas de papier de toilette ; gros plan sur les trois kilos de papier de l'O.N.U. Personne ne saura.

Bétchak jusqu'à la poste où j'essaie de contacter le bureau de la course. Pas possible ; tant mieux après tout : je ne voudrais pas apprendre dans ce coin perdu que mon dernier film « a été jugé très intéressant, etc., 12 points ».

J'apprends un peu plus tard qu'une équipe de télévision indonésienne loge également dans cet hôtel. Ils tournent le lendemain. Discussions : moi, T.V. française, suisse, belge et canadienne. Oui, oui, moi tout seul. Pourquoi ils rigolent ?... Ils finissent tout de même par me donner un rendez-vous pour le lendemain matin, 7 heures. Pour tuer la soirée, un film indonésien. Nul. Il aurait à vrai dire fallu un chef-d'œuvre pour m'arracher à mes soucis du lendemain. Retour à l'hôtel. Une bière pour mieux dormir. La serveuse qui me l'apporte n'a pas que de la bière à proposer. Non merci. Pas ce soir.

Ensuite les choses iront assez vite. Réveil à 6 heures. Préparation de matériel. La jeep de la T.V. est prête à partir. Je m'y glisse. Aux postes de barrage, seuls les papiers du chauffeur et du chef de l'équipe sont demandés. On les passe un à un comme par enchantement. Première halte, premier point de tournage. Je fais de même. Mais un Blanc plutôt blond dans une équipe de T.V. indonésienne... Un index est pointé vers moi. Envie rageuse de le mordre jusqu'à l'os, mais du calme ! (Y a du suspense, hein ?). Ça passe ou ça casse. Si ça rate, faudra rentrer à Djakarta et bâcler un film en deux jours. Par exemple réunir des chats, leur couper les oreilles et faire un reportage sur les chats sans oreilles de l'île de Java.

Ils viennent vers moi (ou ils m'appellent, je ne sais plus) : j'ai dit tout ce qu'il y avait à dire lorsqu'on veut absolument quelque chose parce qu'il le faut et que je suis un sale petit tendre qui ne veut pas faire bobo aux chats. Disons que ce sujet aurait mal payé.

L'un d'eux me dit en anglais : « C'est bon, vous pouvez tourner. » Il n'y a que ça que j'étais disposé à comprendre. Il me l'aurait dit en indonésien, je l'aurais tout aussi bien compris. On m'invite même au dîner. Je suis un grand reporter. Je resterai encore un jour à Tasikmalaja pour prendre les images d'introduction de mon film. Puis retour en bus à Djakarta. Paysages plein les yeux, walkman aux oreilles. C'est beau la vie. Je suis bien.

12e SEMAINE DE COURSE

STATIONS	TÉLÉ-GLOBE-TROTTERS	REPORTAGES	ACQUIT	JURY A2	JURY SRC	JURY RTL	JURY SSR	TOTAL SEMAINE	TOTAL	NOMBRE DE REPORTAGES	MOYENNE PAR REPORTAGE	PLACE AU CLASSEMENT ESTIMÉ
RTL	A. BRUNARD	Repos	693	–	–	–	–	–	693	9	77	1er
A2	A.-C. LEROUX	«Automne du Sud» (Japon)	673	–	29	25	31	85	758	10	75,8	2e
SRC	M. BONENFANT	«Les hôtesses de parcmètres» (Australie)	588	29	–	30	28	87	675	9	75	3e
SSR	R. GUILLET	Repos	670	–	–	–	–	–	670	9	74,4	4e
RTL	M. de HOLLOGNE	«Aïda de Santiago» (Chili)	581	30	27	–	29	86	667	9	74,1	5e
A2	J.-F. CUISINE	«Momoko» (Japon)	598	–	23	21	15	59	657	9	73	6e
SRC	G. AMAR	«Rodeo Drive» (Californie)	621	22	–	24	19	65	686	10	68,6	7e
SSR	Y. GODEL	«Salvadora de Baya» (Salvador)	536	21	18	23	–	62	598	9	66,4	8e

Georges Amar
CANADA

J'arrive à Los Angeles. La cité des Anges... Je connaissais très bien et, pour moi, le tour du monde était fait. J'étais parti de Montréal, j'avais fait mes 360 degrés. J'appelle la course, je me souviens que c'était un dimanche. Nouche m'a super engueulé, parce qu'il fallait me réveiller, mais je suis très sensible, très susceptible aussi. Ça m'a fait très mal qu'elle me dise. : « Ta caméra est bidon, tu filmes comme un pied. » Jean-Michel me prend au téléphone et me dit « Si tu veux, je vais tenir la caméra à ta place. » Alors le moral... j'essaie de me ressaisir et je me dis : « Je suis à Los Angeles, je connais très bien la ville, je vais acheter des films, je vais jouer avec tous les boutons et je vais filmer, je vais finir par la connaître cette caméra... » C'est ce que j'ai fait. J'ai loué un projecteur, j'ai fait plusieurs films, je les ai fait développer et, le soir, je regardais, je me disais : « Voilà, telle et telle chose c'est une erreur » et j'ai commencé à connaître la caméra.

D'ailleurs, tout de suite après, il y a eu de très belles images : la mosquée, dans le désert américain ; et le « Rodeo Drive », pas un sujet génial, mais qui a donné des images d'une bonne qualité. Et par la suite je crois que j'ai trouvé mon rythme pour les images. Bon, mais il m'a fallu du temps pour connaître cette caméra, alors, j'ai négligé la recherche des sujets.

A Los Angeles j'ai fait un peu n'importe quoi. De plus on me reprochait de faire du social et on me disait : « Tu fais de la politique. » Là je ne comprenais pas.

Ça m'a vraiment embêté qu'on dise ça. Je me suis dit : « Bon, ils ne veulent pas de social, ils s'imaginent que social égale politique, donc on va laisser tomber le social et on verra que je ne ferais plus de politique. » Alors, j'ai essayé de faire autre chose mais je l'ai fait très maladroitement. Ces montagnes russes et ces personnages de ce Rodeo Drive, c'était ridicule.

Jean-François Cuisine
FRANCE

Le Japon, la taxi-girl de Tokyo, ça n'a pas soulevé un grand enthousiasme. Il faut être honnête, c'est un sujet raté. La plupart des gens en le voyant ont eu l'impression que je me suis pris huit jours de vacances, que j'ai fait ça à la va-vite. Pourtant, je crois que c'est le sujet qui m'a demandé le plus de travail.

Je suis parti d'un article que j'avais trouvé dans un journal. Il disait : « Au Japon, il y a des taxi-girls, mais attention, ne vous y trompez pas, ce ne sont pas des prostituées, elles jouent en fait un rôle de psychanalystes, elles écoutent parler le brave homme d'affaires qui est tellement serré dans la société japonaise... »

C'est vrai que la société japonaise, c'est terrible. Les gens se marchent sur les pieds dans le métro, mais dès qu'ils sont face à la personne qui a trois mois d'ancienneté de plus qu'eux dans l'usine, ils se mettent à quatre pattes. Le coup du Japonais qui vous dit bonjour en s'inclinant, et vous vous inclinez, et du coup il se réincline, et ça n'arrête plus, tout ça c'est vrai. Il y a tout ce côté vraiment strict de la société, mais à six heures du soir, c'est Dr Jekyll et Mr Hyde. Sur ce thème, il y a eu le film d'Anne-Christine aussi. C'est amusant, parce que les boîtes, c'est moi qui les lui ai fait découvrir.

Le premier hôtel dans lequel j'étais se trouvait juste à côté d'un quartier chaud. Il y en a deux ou trois à Tokyo. Lorsque je suis arrivé le premier soir, je croyais le Japon très société traditionnelle, maisons de papier, etc., et voilà que je trouvais des immeubles partout dans une ville tentaculaire. Tokyo s'étend sur soixante kilomètres, et l'aéroport est à soixante-dix kilomètres de Tokyo ; il faut trois heures pour faire le trajet l'aéroport à l'hôtel. La vie nocturne là-bas est très, très animée. On sort à quatre heures du matin dans la rue et on a l'impression qu'il est seulement cinq heures du soir, il n'y a pas de différence... Il y a toujours énormément de monde, et puis toutes ces boîtes.

Alors, l'idée était d'avoir un dialogue entre une taxi-girl et moi. Il me fallait donc une fille qui parle français, et, là, ça devenait beaucoup plus difficile. Trouver une fille qui parle français, qui soit étudiante le jour et taxi-girl la nuit, ça m'a demandé beaucoup de temps. L'idée première c'était un dialogue continuel entre elle et moi. Quand j'ai commencé à la filmer, je me suis aperçu qu'elle ne parlait pas suffisamment bien notre langue. En plus, ce qu'on a reproché à ce film, c'est que la fille n'était pas jolie. On m'a dit : « Quitte à filmer une taxi-girl, autant trouver une jolie fille ! » Ben oui ! Elle n'était pas jolie, moi je ne m'en suis pas rendu compte en la filmant. Parce que, là aussi, je crois que ça fait partie de l'image de Jean-François Cuisine, de s'intéresser à toutes les jolies filles qui passent, mais moi, quand je filme je m'intéresse à l'histoire et c'est tout.

Mario Bonenfant
CANADA

A Los Angeles, j'ai rencontré Anne-Christine et Brunard aussi, à la délégation du Québec. Dans certaines autres grandes villes, il y a une délégation du Québec, c'est intéressant parce que ce n'est pas une ambassade, les employés sont très ouverts. A Anne-Christine et à moi, ils ont trouvé un bureau. C'était notre quartier général. On se rencontrait là une fois par jour et puis on passait nos coups de téléphone. On appelait, même à San Francisco, gratuitement. J'avais un sujet, préparé encore. J'ai été chanceux avec mes sujets préparés. C'est payant !

C'était les hôtels pour chats mais je n'avais pas d'adresse précise. Quelqu'un m'avait seulement dit : « Il y a un hôtel pour chats en Californie. » On se met à chercher dans le bottin. J'appelle un endroit éloigné de deux cents kilomètres de Los Angeles. Je loue une voiture pour m'y rendre. Il s'est avéré que quatre-vingt-dix pour cent de la maison était encore en construction. Il y avait une malheureuse bonne femme qui nourrissait quelques chats, j'étais vachement déçu.

Vous vous rendez compte : les gens vous attirent, ils veulent de la publicité, elle m'avait laissé venir sans rien me dire... Alors je suis revenu à Los Angeles, je reprends l'annuaire téléphonique et, là, je trouve un hôtel pour chats, et puis plusieurs autres. On appelle ça des « hôtels » car il y a des suites pour les familles félines, une cour intérieure pour que les chats se promènent. J'ai trouvé ça sympathique.

Ensuite, j'ai retrouvé Georges Amar. J'ai passé une semaine avec lui, il était un petit peu démoralisé. Georges n'est pas ferré en caméra, alors il s'est pété la gueule au Japon, puis à Hong Kong... des films flous, des films sous-exposés. Ensemble on a essayé de voir ce qui n'allait pas. Il y avait le sujet au Nouveau-Mexique, j'étais dans ma semaine de congé, j'avais une voiture, on est partis ensemble. On est allés à Las Vegas, j'ai pris ma semaine de congé, je l'avoue.

J'ai plongé en Australie à la suite d'un vol interminable ; il faut s'arrêter à Honolulu, Okland et puis Sydney. Là, ça a été la journée type. J'ai adopté un système pour la course : la première journée, je laisse mes bagages en consigne pour ne pas me faire suer à me déplacer dans la ville avec, je vais à la banque pour retirer mon argent, je vais voir Air France, puis les gens de l'ambassade et je leur demande de me trouver un hôtel. A la fin de la journée, alors que tout est fermé, je m'en vais chercher mes bagages en consigne, je rentre à l'hôtel, puis je lis les documents que j'ai. En général, j'ai le sujet cette première soirée-là... Mais à Sydney, ça fonctionnait mal.

On m'avait parlé de gens qui boivent, de tous les trucs stupides qu'on peut trouver en Australie. Et puis on m'avait parlé de ces bonnes femmes qui sont payées par les commerçants pour mettre des sous dans les parcmètres, ce qui fait que les automobilistes n'ont pas peur de stationner et d'aller dans les magasins. C'était au bord de la mer, à dix heures d'autobus. J'aurais pu faire le trajet en avion, mais ça coûte très cher en Australie.

Les gens de l'ambassade m'ont aidé. Ils ont téléphoné. J'étais introduit au syndicat d'initiative de la ville, à la mairie. Je n'avais qu'à me présenter.

Sur place, le sujet ne m'a paru valoir qu'un simple écho, il était très touristique. En plus, quand j'ai rencontré la femme qui a inventé ce coup des parcmètres, la première chose qu'elle m'a dit c'est : « Attention. Pas de plans voyeurs, pas de panoramique des pieds vers la figure des hôtesses. »

Et puis elle voulait savoir toutes les questions que je poserais. C'était plutôt artificiel comme relation, les filles quand je les filmais avaient toujours des sourires fabriqués. Enfin, je pensais à vous. Sans doute vous étiez dans le froid, alors, voir ces nanas en bikini qui faisaient la nique aux flics en remplissant les parcmètres pendant que les gens se doraient au soleil, ça pourrait peut-être vous amuser.

En deux jours, c'était fait. Je reviens à Sydney, j'envoie le film. Je rencontre Jean-François Cuisine. On passe une journée magnifique ensemble à la plage. Il se fait voler son portefeuille. C'était la série. Il avait eu déjà trois accrochages avec la voiture qu'il avait louée, il espérait que personne ne les noterait... Il n'en finissait plus de raconter ses malheurs, il y en avait tellement que je m'étouffais de rire.

Je voulais aller à Adelaide et, de là, me rendre à Cooper Pedi. Benoit Jacques me dit au téléphone : « Ne fais pas ça, ça a été fait par Popovic il y a trois ans. » Ça m'a beaucoup déçu, il a fallu que je change mon fusil d'épaule, que je trouve autre chose dans la ville. Je m'en vais à l'agence du tourisme et ils me disent : « Va voir les vins. » J'ai trouvé ça intéressant parce qu'on m'a dit qu'on donnait des noms français aux vins, on m'a dit que c'étaient des Allemands qui avaient planté les premières vignes, alors j'ai trouvé ça suffisamment complet pour louer une voiture et m'y rendre. Mais comment faire avec une voiture, pas automatique, et qu'on conduit à gauche, c'était pas gai ça !

Je m'arrêtais sur le bord de l'autoroute, j'avançais, je reculais, je me mettais du mauvais côté, les Australiens n'ont pas dû apprécier ma façon de conduire. Enfin ! je leur ai appris un secret : maintenant ils savent comment un Québécois conduit à l'anglaise !

13e SEMAINE DE COURSE

STATIONS	TÉLÉ-GLOBE-TROTTERS	REPORTAGES	ACQUIT	JURY A2	JURY SRC	JURY RTL	JURY SSR	TOTAL SEMAINE	TOTAL	NOMBRE DE REPORTAGES	MOYENNE PAR REPORTAGE	PLACE AU CLASSEMENT ESTIMÉ
RTL	A. BRUNARD	« Les taupes du chantier » (Hong Kong)	693	28	32	–	26	86	779	10	77,9	1er
A2	A.-C. LEROUX	Repos	758	–	–	–	–	–	758	10	75,8	2e
SRC	M. BONENFANT	« Vive le vin » (Australie)	756	32	–	29	21	81	756	10	75,6	3e
SSR	R. GUILLET	« Les graines magiques » (Hong Kong)	749	28	27	24	–	79	749	10	74,9	4e
RTL	M. de HOLLOGNE	« Pèlerinage à Lo Vasquez » (Chili)	746	28	24	–	27	79	746	10	74,6	5e
A2	J.-F. CUISINE	« Volontaires » (Australie)	716	–	21	21	17	59	716	10	71,6	6e
SRC	G. AMAR	Repos	686	–	–	–	–	–	686	10	68,6	7e
SSR	Y. GODEL	« Parlons Brasil »	652	–	–	1	–	54	652	10	65,2	8e

Yves Godel
SUISSE

Le Brésil, je connais. Et, par ce fait, j'ai dû décevoir beaucoup de gens, des gens qui se disaient : « Godel a gardé sa meilleure carte pour le milieu de la course, pour le Brésil. »

Il s'est passé plusieurs choses au Brésil. J'explique, je ne justifie pas.

La première chose, qui en fait était négative, c'est que j'ai retrouvé la petite amie que j'avais laissée là-bas. Elle m'a hébergé pendant deux semaines. Le problème n'était pas que j'avais envie d'être tout le temps avec elle et de ne pas aller filmer, c'était surtout que je logeais chez l'habitant, dans une famille brésilienne, avec tout ce que ça implique comme obligations.

J'ai cherché des sujets, j'avais quelques idées mais rien de très consistant. On m'a proposé de faire des images sur une « sauveuse », une bonne sœur brésilienne qui a construit presque de ses mains un hôpital. Le sujet ne me tentait pas tellement. Je me suis laissé influencer, on me disait : « C'est un sujet super, vraiment en plus ça serait une bonne action. » A ce moment-là de la course, par rapport aux points, par rapport à l'efficacité des sujets dans le classement, je me suis dit : « Pourquoi pas, je peux très bien me permettre une fois quelque chose d'un peu utile. »

Le tournage a été très intéressant, c'est un milieu que je ne connaissais pas, un milieu sordide aussi, orphelinat, gens malades, amputés, handicapés mentaux, physiques... C'était très impressionnant pour moi. Cette bonne sœur a fait un boulot incroyable. Le sujet est immense, il y aurait eu beaucoup de choses à introduire...

Pour moi, c'est un petit peu ambigu, j'étais parti dans la course avec, dans l'esprit, de ne pas faire de sujets en relation avec la pauvreté. Au Brésil je ne suis pas convaincu qu'on puisse faire un bon reportage de ce style en trois minutes, parce qu'en trois minutes on ne peut pas évoquer tout le problème brésilien avec objectivité. Il faut s'en tenir à l'opposition trop connue : les favellas derrière les immeubles très riches, les riches à l'extrême, les pauvres à l'extrême. Je voulais éviter de faire ça parce que c'est l'une des images types du Brésil, avec le carnaval. Ça peut paraître curieux que, du pays que je connaissais le mieux, je n'ai pas retiré le maximum.

Je ne sais pas vraiment si j'arrive à l'expliquer. C'était compliqué d'être dans un endroit que je connaissais déjà, au milieu de gens familiers, avec plein de souvenirs, et d'y être à ce moment-là pour la course autour du monde.

J'aimerais bien évoquer le film « Parlons Brésil », extrêmement mal noté, à juste titre à mon avis. Ce film, je me devais de le faire. Je voulais faire un film qui montre un des vrais côtés brésiliens, une espèce de vie quotidienne qu'on ne peut pas expliquer, alors j'ai décidé de faire un commentaire comme ça : « Le Brésil oui, qu'est-ce qu'on pourrait ... je ne sais pas... le Brésil... ah ! c'est... oui !

Il y avait un petit côté provocateur, je dois l'avouer. J'ai été très déçu, le film reposait sur l'interview de ce garçon, un drogué. D'abord, il y avait : « Je ne peux pas vous dire ce que c'est que le Brésil, seul un Brésilien peut vous en parler. » Suivaient l'interview et la traduction que j'en avais faite. Mais il y a eu un problème : on n'entendait que la traduction ; la bande de l'interview, on ne l'a pas entendue. C'est clair qu'on ne peut pas parler du Brésil sans entendre parler brésilien ! Pourtant moi, par abus de conscience, j'avais enregistré ma traduction en français en me passant en même temps, au casque, toute la partie dite en brésilien. J'ai essayé de donner des tonalités brésiliennes à mon français, pour être le plus fidèle possible. Alors je pensais que si on entendait bien fort le Brésilien qui parle et, si on entendait la traduction par-dessus, on devait arriver à avoir une idée. Lorsque j'ai vu le film, je n'ai rien reconnu. Je trouve complètement ridicule le ton que je prends dans ce film. D'un seul coup, Yves Godel commence à chanter, qu'est-ce qui se passe, qu'est-ce qu'il dit, où il m'emmène... ? Le film est zéro quoi. Je n'ai absolument pas rendu l'atmosphère. Rien, il n'y a rien.

Je pense que les seules personnes qui ont dû apprécier ce film, ce sont les Brésiliens. Ce n'est pas une excuse, je ne fais pas le film pour les Brésiliens, mais moi, en le revoyant, je n'ai pas reconnu le Brésil, surtout parce qu'on n'entendait pas parler brésilien.

Le tournant de la course a commencé pour moi avec le troisième, donc le dernier film brésilien, ce film-reportage sur une « secte brésilienne » C'est un sujet typiquement course autour du monde, très spectaculaire. Il y a de l'image, de l'insolite, il y a tout ce qu'il faut pour avoir de bonnes notes. En faisant ce sujet, je faisais une espèce de mise au point, c'était une manière de dire, à moi comme aux autres : « Oui, je suis capable de faire un film comme ça. » Des bons sujets, tout le monde peut en trouver. Je pense que n'importe qui, dans la course, qui aurait eu ce sujet aurait obtenu un bon score, entre 80 ou 90. C'est dû plus au sujet qu'au traitement. Je me suis donné beaucoup, j'ai fait des interviews, j'ai l'impression d'en avoir un peu trop fait, d'ailleurs, c'était par souci de vraiment bien faire. « Voyez ce dont je suis capable » — je me le disais aussi à moi-même.

Raphaël Guillet
SUISSE

A Hong Kong, j'ai eu deux semaines... Je voulais tourner un sujet sur les mesures anti-réfugiés chinois. J'ai pu obtenir du gouvernement la possibilité d'aller filmer sur un bateau de patrouille. Je l'ai fait, mais finalement les images que j'ai rapportées n'étaient pas suffisantes pour un bon sujet. C'est pourquoi, en un jour, ensuite, j'ai fait le sujet que j'ai envoyé sur la banque du sperme... dans lequel j'ai repris les images du bateau patrouilleur : il y avait un lien entre surpopulation d'un côté, et de l'autre désir de population.

Il ne faisait pas beau, ce n'est pas une ville qui m'a émerveillé. Le sujet, par contre, m'a paru très intéressant, je l'aime bien, parce qu'il y a du suspens. Au départ, avec ce bateau, on ne sait pas de quoi on va parler, puis on va dans une banque, à Hong Kong et, tout d'un coup, on apprend que c'est une banque un peu particulière.

J'ai obtenu des interviews, c'était assez difficile parce que rares sont les personnes, clientes ou actionnaires de cette banque, qui acceptent de parler. J'ai réussi, finalement, à en convaincre une en disant que j'allais faire une histoire, pas du tout pour en rire, loin de là, mais au contraire une histoire qui échapperait à la vulgarité dans laquelle ce sujet pouvait tomber.

STATIONS	TÉLÉ-GLOBE-TROTTERS	REPORTAGES	ACQUIT	JURY A2	JURY SRC	JURY RTL	JURY SSR	TOTAL SEMAINE	TOTAL	NOMBRE DE REPORTAGES	MOYENNE PAR REPORTAGE	PLACE AU CLASSEMENT ESTIMÉ
RTL	A. BRUNARD	« Les hôtels du bonheur » (Japon)	779	33	32	–	33	98	877	11	79,7	1er
SSR	R. GUILLET	« Bonenkaï » (Japon)	749	29	24	32	–	85	834	11	75,8	2e
A2	A.-C. LEROUX	« La fin du jour » (Chine)	758	–	23	22	26	71	829	11	75,3	3e
SRC	M. BONENFANT	« Ce qui dort dans la boue » (Bolivie)	756	24	–	21	24	69	825	11	75	4e
RTL	M. de HOLLOGNE	Repos	746	–	–	–	–	–	746	10	74,6	5e
A2	J.-F. CUISINE	« Ô Valparaiso » (Chili)	716	27	31	25	24	80	716	11	72,3	6e
SRC	G. AMAR	« Les Indiens Miskitos » (Honduras)	686	–	–	26	28	81	686	11	69,7	7e
SSR	Y. GODEL	Repos	65,2	–	–	–	–	–	652	10	65,2	8e

Jean-François Cuisine
FRANCE

Le Chili, c'est un moment fort de la course. On y arrive avec des idées de Français, lisant la presse française, on aborde le pays avec un pincement à l'estomac, parce qu'on se dit : « J'arrive dans une dictature, il va y avoir un policier à chaque coin de rue, on va me sauter dessus, je vais avoir du mal à filmer. » Je n'aime pas les dictatures, ça m'angoisse toujours un petit peu d'arriver dans des pays comme ça. Eh bien, la dictature je ne l'ai pas vue, elle n'est pas visible directement. D'abord, il y a des journaux d'opposition au Chili, les gens critiquent ouvertement le président, le gouvernement, l'armée. Je n'ai pas fait un film politique bien qu'il y ait deux ou trois petites allusions dans le film que j'ai fait à Valparaiso.

J'ai tourné en quatre jours. Le premier jour, il y avait du soleil, le soleil était l'un des personnages du film. Quand le portefaix grimpe les escaliers, il transpire. Pour lui, le soleil est mauvais, c'est synonyme de sueur, de fatigue. Donc le soleil était important et on passait d'un personnage à l'autre par l'intermédiaire du soleil : le premier regarde le soleil et le second regarde aussi le soleil. Et puis il s'est mis à pleuvoir et j'ai donc dû attendre à Valparaiso pendant deux jours. Les personnages devaient se croiser au même endroit... donc, on est retournés au même endroit.

Là une bombe venait d'exploser. D'après la police, c'étaient des étudiants, des contestataires, qui l'avaient posée, blessant un policier. Quel que soit le pays au monde où l'on est, quand il y a des policiers et que l'on essaie de filmer, ils disent toujours que c'est impossible. Là, on leur a demandé, avant de commencer à filmer : « Est-ce qu'on peut filmer, simplement comme ça ? » Ils ont dit : « D'accord, mais nous on se retire. » Ils sont donc partis un peu plus loin pour me permettre de filmer. Eh bien, si la bombe avait été posée par des jeunes contestataires, que l'on m'ait autorisé tout de suite à filmer, alors que les gens qui m'accompagnaient et moi-même étions aussi des jeunes, me fait dire : « Le Chili, c'est un très bon souvenir. »

15e SEMAINE DE COURSE

STATIONS	TÉLÉ-GLOBE-TROTTERS	REPORTAGES	ACQUIT	JURY A2	JURY SRC	JURY RTL	JURY SSR	TOTAL SEMAINE	TOTAL	NOMBRE DE REPORTAGES	MOYENNE PAR REPORTAGE	PLACE AU CLASSEMENT ESTIMÉ
RTL	A. BRUNARD	«Bunganati» (Népal)	877	27	31	–	38	96	973	12	81	1er
A2	A.-C. LEROUX	«Libre comme l'air» (Chine)	829	–	23	27	27	77	906	12	75,5	2e
SSR	R. GUILLET	«Jakatara» (Japon)	834	23	19	25	–	67	901	12	75	3e
SRC	M. BONENFANT	Repos	825	–	–	–	–	–	825	11	75	4e
RTL	M. de HOLLOGNE	«Portraits chiliens»	746	22	22	–	19	63	809	11	73,5	5e
A2	J.-F. CUISINE	Repos	796	–	–	–	–	–	796	11	72,3	6e
SRC	G. AMAR	«Mon enfer est un paradis» (Brésil)	767	21	–	22	21	64	831	12	69,2	7e
SSR	Y. GODEL	«Tante Neiva» (Brésil)	652	27	25	30	–	82	734	11	66,7	8e

Marc de Hollogne
BELGIQUE

Dès le départ, j'avais prévu de séjourner au moins quelque part davantage qu'une semaine. Butiner ainsi d'aéroport en aéroport, semaine après semaine, cela suffisait... fallait casser le rythme ! Ce quelque part, ce fut le Chili. Ce fut le bout du monde de ma course. Un mois sur cinq c'est peut-être un peu long ? Oui ! Mais pas aussi long que le Chili ! Je m'en souviendrai de cette espèce d'hippocampe long de quatre mille kilomètres. Une telle diversité de climats que cela m'a donné l'envie d'envoyer à Paris... autre chose. Cet « autre chose », ce fut « Portraits chiliens. » J'en avais soupé des reportages verbeux et maladroitement objectifs ! Moi et ma petite boîte à films, on eu le coup de foudre pour les paysages chiliens ! Cette descente vers le Sud, vers les glaces, marqua le deuxième et dernier grand tournant de mon voyage. Une totale remise en question. J'étais cinquième et je n'étais toujours pas arrivé à me détacher du classement. Cela puait l'échec. Aucune imagination ! J'étais loin du compte ! Me fallait un bon bol d'air ! Je laisse mes valises à Santiago, je n'emporte que le minimum avant la « descente. »

Suite à une discussion avec Patrick Ségal, rencontré en compagnie de Cuisine et Godel à Santiago... je m'étais fourré dans le crâne de réaliser un film qui débuterait par un homme assis sur une chaise... sur un iceberg ! La notion de temps qui s'écoule, m'omnubile tout particulièrement, c'est pas original je sais, mais, le temps qui s'écoule, la mort ... je tenais à y consacrer au moins un film.

Patrick Segal m'avait d'ailleurs insufflé davantage que cette envie de débuter un film de la sorte. Cet homme exceptionnel dégage tellement d'énergie positive, constructive, que ce film résulte d'une réflexion assez tordue ! Physiquement, ce fut l'engagement total. J'en ai attrapé plein les tripes ! Plein les lorgnons ! A deux doigts du lavage du cerveau ! Et puis tout de même l'Antarctique ... Je tenais pour une fois à donner la place et la parole à l'image. Je ne voulais pas présenter un sujet, mais une multitude de petites tranches de vie.

J'ai bien failli y rester. Justement, en tentant de réaliser mon plan « choc » : un homme sur un iceberg !

Après avoir atteint la Terre de Feu, et filmé auparavant un decrescendo du relief chilien, il me fallait atteindre les premières glaces. Là où plus rien n'est possible. Nous étions une vingtaine à nous être engouffrés sur un vieux chalutier tout crado. Parmi les moussaillons, deux amis. Inséparables. Vadrouillant comme moi autour de la planète. Le plus jeune avait mon âge (c'est-à-dire juste deux mois de plus que notre gentil benjamin de la course), l'autre, celui qui m'intéressait pour mon plan, lui, avait soixante-quatre ans. C'était son grand-père tout simplement. Je le sensibilise à mon affaire. Haussements d'épaules, éclats de rire. On ne propose pas à un vieillard de jouer la sirène de Copenhague ! C'est risqué. Cela glisse trop ! « Mais non ! — Eh bien, dans ce cas, vous me devancerez ! »

Marché conclu ! Barque à l'eau ! Malgré la pluie glaciale et la température de deux degrés, cap sur le premier iceberg suffisamment plat pour que nous allions nous y promener ! Vous devinez la suite. Tenant d'une main la chaise sur laquelle je voulais voir assis en pleine réflexion mon bonhomme, de l'autre ma caméra, ça n'a pas raté ! A peine ai-je posé le pied sur la glace que j'ai glissé. Dans le jus ! Réflexe incroyable de lancer ma caméra dans les bras d'un gars qui nous accompagnait. Autre réflexe encore plus génial celui-là, mais de sa part, c'est de m'avoir attrapé ! Respiration coupée... j'ai cru que Richard Gay allait grimper aux anges. Sans l'aide du gars, j'y restais ! C'est également lui qui a photographié ma bobine alors que je venais de reprendre mes esprits. Cette photo a une valeur inestimable pour moi ! En avant plan, le pâle reflet du globe-trotter qui, trois mois plus tôt quittait Paris le torse bombé, l'air suffisant, tout persuadé qu'il était que ce périple ne serait qu'un jeu ! En arrière-plan, une masse de glace bleutée...

Frictionné au rhum, séché tant bien que mal. Je souhaitais attraper la crève. Quelle excellente solution ! Tourner les talons ! Stop ! ... Fini ... drapeau blanc... ! Qu'est-ce que je fous dans cette galère ? Et tout sort ! Les larmes, la rage, le dépit, les injures, tout redéfile ... cette comédie musicale non mise en boîte à La Nouvelle-Orléans ... à cause de qui, pensez-vous ?... une telle dépense d'énergie qui se serait de toute manière soldée par un échec ! Et puis cette caméra à l'obturateur bousillé, caméra avec laquelle j'ai réalisé le tiers de la course, avec laquelle j'ai réalisé pas mal de bobines complètement nases ... noires ! Mais de cela personne n'a parlé sur l'antenne ! C'est mon père et l'un de mes frères qui sont venus m'apporter une autre caméra.

A moitié gelé sur cette barque qui retournait vers le chalutier, ce fut la crise de nerfs ! J'ai hurlé de toutes mes forces. J'ai vomi cette connerie d'émission. Maudi les pantouflards qui, planqués à l'ombre de leur bobonne, nous reprocheront toujours tel ou tel défaut. Je sentais bien que cette course n'était pas faite pour une brave pomme, un écorché vif. Je sentais qu'à l'intérieur, ma douce candeur en prenait... des coups de pieds au cul ! Tout se barricadait, devenait rocailleux... dégâts, dégoûts...

Quelques jours avant Noël, suite à ma baignade forcée, j'ai voulu fuir une derrière fois la réalité. Me fallait cracher cette bave envenimée qui, tout compte fait, me desservait plus qu'autre chose ! Segal me trottait toujours dans la tête. L'image paraîtra forte, mais une course comme celle-ci que l'on décide de vivre à fond, en vivant à cent à l'heure, en ne dormant et ne mangeant presque pas chaque fois qu'un sujet de film vous tient à cœur... Une telle épreuve peut parfois, lorsque quelques polichinelles, entre deux bâillements, vous notent n'importe comment... une telle épreuve peut parfois vous scier les jambes. Momentanément, bien sûr, mais je ne suis certainement pas le seul candidat à être tombé sur le cul en apprenant au téléphone qu'un film pour lequel on s'est donné tant de mal, ce film n'a pas obtenu les points espérés ! Et y a rien à faire ! Ils sont souverains ! Crétins ou brillants, nous, on n'a qu'à écraser et continuer !

Alors j'ai pris une jeep. La jeep, elle m'a permis d'aller enterrer loin de tous mon orgueil qui pissait du sang depuis la première cotation canadienne ... enterrer mes vingt ans aussi ! Paumés dans le voyage ! Enterrer mes illusions ! Tout seul au bout du monde... un vent violent dans les pavillons... n'ayant plus croisé âme qui vive depuis quatre jours ... entouré d'une nature encore indomptée ... sauvage ... se promettre de renaître de ses cendres dans un tel cadre ... dans de telles circonstances... cela vaut le déplacement ! J'avais roulé douze heures de piste, toute une nuit, aucune possibilité de communiquer avec qui que ce soit ! Je me trouvais trop éloigné ! Après une nuit noire ... l'aurore... Hasta luego Chile !

Anne-Christine Leroux
FRANCE

La Chine ! Alors là, c'est l'émerveillement. Pékin, cette foule, ces bicyclettes dans la rue, ces gens qui rigolent, j'avais imaginé ça un peu comme le goulag russe, mais ce n'est pas du tout ça. Les gens sont foutoirs, ils sont sales, mais ils vivent vraiment. Ça se tape dans le dos, ça se fait dégringoler du trottoir, il y a des bicyclettes qui se rentrent les unes dans les autres, il n'y a aucun ordre, on a une impression de vie. En plus, il faisait très très froid, ils ont le nez rouge et une animation dans le regard et, parce qu'il fait froid — je ne sais pas —, ils sont vraiment vifs.

Je dis que c'est sale, mais la ville elle-même est propre. Ils ont un grand problème de surpopulation, alors, pour éviter le chômage, ils emploient les gens à outrance, même à des boulots inutiles ; c'est comme ça qu'on trouve un balayeur tous les deux ou trois arbres dans la rue. Je me demande comment ils font pour ne pas se disputer le malheureux bout de papier qui traîne encore de temps en temps ! La route et les trottoirs sont tellement balayés qu'aucune mauvaise herbe n'arrive à pousser au pied des troncs !

Mais, si l'extérieur est propre, l'intérieur est franchement sale ! Je me souviendrai toujours de ce petit restaurant dans lequel j'étais entrée le jour de mon arrivée. C'était un enchevêtrement incroyable de tables, de bras et de jambes. Il y en avait dans tous les sens ! C'était partout jonché d'os de poulet, de boulettes de riz ; sur les tables du thé ou de l'eau chaude renversés qui gouttaient sur le sol. J'ai fait la queue au comptoir mais, bien sûr, aucun menu d'affiché !   Il y avait seulement dans un coin un plat de boules faites d'une sorte de pâte. J'avais bien faim, mais elles étaient vraiment grosses. Alors, avec mes doigts, j'en ai demandé quatre au serveur... Et je me suis retrouvée avec une montagne énorme dans mon assiette ! Plus tard j'ai appris que les Chinois ont un code particulier pour indiquer les nombres avec les doigts. Je ne sais pas trop quel chiffre j'ai bien pu montrer au serveur, mais la pyramide qu'il m'a servie était vraiment gigantesque ! On m'avait tellement répété, quand j'étais gamine : « Mange ton pain, les petits Chinois meurent de faim ! » que je me suis forcée à avaler toutes les boules, une à une.

C'était bon, mais à la quatrième je me sentais déjà lourde. A la sixième, j'étais franchement écœurée, et à la huitième, prête à éclater ! C'est seulement à la dixième que j'ai remarqué que, non seulement les petits Chinois autour de moi ne mouraient pas de faim mais, qu'en plus, ils avaient l'air bien nourris et qu'ils repoussaient leur bol de riz encore plein avec le sourire satisfait de ceux qui viennent de finir un bon repas ! Je suis sortie complètement écœurée... Dans le vrai sens du terme cette fois !!! Mais j'ai adoré la Chine ! C'est un pays fantastique. Tout le monde m'a dit que Pékin, c'est particulier. Moi, pendant quinze jours, j'ai vraiment exploré la ville à fond et j'ai l'impression de l'avoir vraiment sentie.

Je n'en ai pas montré grand-chose, c'est peut-être vrai. Disons que les plans que j'ai envoyés étaient des plans très extérieurs, surtout dans le film sur les vieux. J'ai eu beaucoup de mal à tourner ce film parce que je n'ai pas pu pénétrer dans la vie des gens. Donc il a fallu que je me débrouille avec les images prises au vol dans des maisons où j'étais entrée par hasard. C'est très difficile de se faire admettre.

Dans la rue, il n'y a pas de problème, les gens se laissent filmer, même ils aiment ça. Les chinois sont joueurs et curieux comme des gosses. Des étrangers, même à Pékin, ils n'en n'ont pas vu beaucoup ! Alors il y a toujours une foule qui vous suit pas à pas. Ils vous dévisagent et vous observent sans aucune discrétion ... et ça rigole par derrière ! Je ne sais pas ce qu'ils pouvaient bien se raconter ni quelle remarques ils échangeaient sur moi, mais ça avait l'air vraiment hilarant. Mais allez tourner une scène sur le vif avec cette bande de joyeux lurons derrière vous, qui prend un malin plaisir à avertir celui ou celle vers qui vous braquez votre caméra !

Le premier film que j'ai envoyé, je le savais, n'était pas très bon. Pour le deuxième, j'ai été déçue parce que j'ai eu l'impression de montrer quelque chose. Les pigeons, les oiseaux, tout ça c'est Pékin. C'est la vie dans Pékin. Il a fallu que je m'y reprenne trois jours de suite dans le froid, pour essayer de trouver un marché aux pigeons. C'est encore strictement interdit, personne n'avait voulu me dire où il y en avait. Je savais vaguement l'endroit, j'ai passé des heures et des heures à vélo pour essayer de le trouver.

Et le retour a été pire ! J'ai voulu prendre un raccourci et je me suis retrouvée sur une route qui obliquait tellement qu'elle m'emmenait en pleine campagne. Il faisait un vent glacial qui soufflait naturellement à contre-sens. Je ne sentais plus mes membres et commençais à trouver que la petite plaisanterie avait vraiment assez duré. Je connaissais la direction que je voulais prendre. Il n'y avait pas de route ? Qu'à cela ne tienne ! J'ai pris mon vélo sous le bras et suis partie à travers champs. Si j'avais su ! mais si j'avais su ! Il a fallu que j'escalade des bosquets, que je passe mon vélo par-dessus les barrières, que je me fraie un passage à travers les haies de buissons...

Enfin, le centre de Pékin m'est apparu, là, tout près... De l'autre côté de la rivière ! Et pas un pont avant deux ou trois kilomètres ! A moins que... ? Oui, juste un peu plus loin, un pont de chemin de fer ! Et hop ! Me voilà portant mon vélo au-dessus des rails cette fois ! Mais je n'avais pas tout prévu : une fois sur les rails, impossible d'en sortir ! Par mesure de sécurité, je suppose, la voie est entourée de hauts murs. Cette fois, impossible de les franchir avec mon vélo. Retourner ? Alors ça, jamais ! Et me revoilà partie, poussant ma machine sur les bas-côtés des rails. j'approchais de la gare, des trains arrivaient en sens inverse ; j'étais obligée de me plaquer au mur pour ne pas perdre l'équilibre dans la gifle d'air qu'ils déplaçaient en passant. Je croisais des ouvriers qui travaillaient sur les voies. Surgelée, soufflant comme un bœuf derrière ma bicyclette, j'essayais de prendre l'air détaché ; ils me regardaient passer sans rien dire ... J'ai fini par atteindre enfin les quais, alors j'ai commencé à pédaler dans la gare, toujours aussi détachée et à l'aise, mais cette fois on me regardait, on murmurait sur mon passage. Moi, impassible, je tournais sur ma bicyclette, cherchant une sortie. Tout à coup, un type en uniforme m'a hélée, d'une voix brève et sèche. Pas d'erreur : ça chauffait, Marcel ! Il fallait faire vite ! C'est alors que sur le côté, j'ai remarqué le hangar à bagages et la grille ouverte à l'autre bout. Sans hésiter, je me suis engouffrée là-dedans, pédalant à toute vitesse. Derrière moi, j'entendais des galopades, des cris. Je fonçais sans demander mon reste ! J'ai franchi la grille et disparu dans Pékin !

Que d'histoires pour des pigeons ! Mais je l'avais trouvé, ce foutu marché. Mon film pouvait commencer.

Quand je suis repartie de Pékin, j'éprouvais du regret, j'aurais voulu voir des tas d'autres choses en Chine. Vraiment, j'aurais aimé rester beaucoup plus longtemps, mais il arrive souvent dans la course un moment où l'on sent qu'il faut partir, que c'est fini.

J'ai pensé qu'il fallait que j'aille en Malaisie. Je suis allée en Malaisie et je me suis plantée...

16ᵉ SEMAINE DE COURSE

STATIONS	TÉLÉ-GLOBE-TROTTERS	REPORTAGES	ACQUIT	JURY A2	JURY SRC	JURY RTL	JURY SSR	TOTAL SEMAINE	TOTAL	NOMBRE DE REPORTAGES	MOYENNE PAR REPORTAGE	PLACE AU CLASSEMENT ESTIMÉ
RTL	A. BRUNARD	Repos	973	12	–	–	–	–	973	12	81	1ᵉʳ
SRC	M. BONENFANT	« D'une bouche à l'autre » (Bornéo)	825	32	–	27	27	86	911	12	75,9	2ᵉ
SSR	R. GUILLET	Repos	901	–	–	–	–	–	901	12	75	3ᵉ
RTL	M. de HOLLOGNE	« Symphonie d'un Monseigneur pas comme les autres » (Brésil)	809	34	24	–	27	85	894	12	74,5	4ᵉ
A2	A.-C. LEROUX	« Squatters chinois en Malaisie »	906	–	23	22	17	62	968	13	74,4	5ᵉ
A2	J.-F. CUISINE	« Iemandja » (Brésil)	796	–	28	31	36	95	891	12	74,2	6ᵉ
SRC	G. AMAR	« Prison au Honduras »	831	–	19	28	27	82	913	13	70,2	7ᵉ
SSR	Y. GODEL	« Le vilain petit canard » (Nouvelle-Zélande)	734	27	19	25	–	71	805	12	67	8ᵉ

Georges Amar
CANADA

Je quitte les États-Unis après y avoir passé trois semaines. Au Honduras, je reprends mes premières amours, c'est-à-dire le social. Avec la caméra, j'étais un peu plus sûr de moi et là, je crois que ça a commencé à remonter.

J'ai fait les réfugiés Miskitos. Puis j'ai rencontré des gens de Médecins sans Frontières. Je les admire beaucoup. Pas intéressés par l'argent, ils vivent avec presque rien, ils vont au fin fond de la brousse. Ils s'occupent des réfugiés, de quelque bord qu'ils soient. Courageuses aussi ces jeunes infirmières qui vivent dans des huttes sans électricité, infestées de moustiques, dans la boue, pendant parfois six mois. J'ai passé une semaine avec eux. Pour se laver, on allait au fleuve, le Rio Mocoron, un fleuve dégueulasse. On se nourrissait de riz, de manioc et de haricots, c'est tout. L'eau n'était probalement pas potable, mais il n'y avait pas le choix. On était relié avec le reste du Honduras seulement par un avion qui décollait une fois par jour, et ne pouvait prendre à son bord que quatre personnes. Alors j'ai vraiment tenu à souligner le courage de ces Médecins sans Frontières.

Quand je suis arrivé au Honduras un dimanche, je savais que je pouvais faire les Indiens Miskitos. Je trouvais ça assez original comme sujet, restait à arriver dans leur région, la Moskitias, où on ne peut aller qu'en avion. Les routes dans les montagnes sont trop boueuses.

Pour l'avion, deux possibilités, Médecins sans Frontières ou l'Armée, parce que c'est une zone militaire déclarée interdite. Un avion civil n'a pas le droit de s'y rendre. Bon, l'armée c'est impensable, ç'aurait pris un mois de démarches pour les autorisations. Alors j'ai téléphoné aux Médecins sans Frontières. Ils connaissaient la course, ils avaient vu mon film sur Berlin, et ils l'avaient aimé. Ça facilitait nos rapports et on m'a trouvé un avion vingt-quatre heures plus tard, gratuitement. Un médecin m'a accompagné, il a passé cinq jours avec moi, il m'a tout montré, il m'a laissé tout filmer. Coup de pot, parce que ce n'était pas évident d'aller filmer ces réfugiés, certains journalistes attendent dix à douze jours pour avoir la permission de le faire.

Didier Régnier m'a dit qu'il avait bien aimé ce film-là, qui n'a pas été tellement bien noté. Moi en tout cas, j'ai beaucoup aimé ces gens-là. Cette année, la course a pris un style plus ethnographique, je crois, que les années précédentes. Peut-être qu'en changeant l'équipe des jurés permanents, automatiquement on change l'esprit de la course. Moi, c'est ce que j'ai cru comprendre.

Au Honduras encore, on m'a parlé de cette fameuse prison où on vient danser tous les dimanches. C'est le grand bal, c'est la discothèque de Tégucigalpa. Là, coup de chance aussi. Je vais voir le directeur, je lui explique ce que je veux faire. Il me dit : « Pas de problème, tu peux filmer tout de suite. » Alors je sors ma caméra, je filme à gauche, à droite. On était samedi mais moi ce que je voulais c'était le bal. Parce que le bal, c'est incroyable. Il y avait l'orchestre militaire qui se préparait pour le dimanche, pour accueillir toutes les putes qui viennent. C'était le sujet cinématographique. Pour une fois j'allais avoir quelque chose de visuel, très fort.

On s'est donné rendez-vous le lendemain, mais le directeur n'est pas venu. Et impossible de filmer sans son accord. J'ai dit : « Je vous donne cent dollars, laissez-moi entrer cinq minutes. » Parfois cinq minutes, ça suffit pour un film. « Non, non, non, le directeur n'est pas là, vous comprenez que si je vous laisse entrer, je vais avoir des problèmes. » On a téléphoné au directeur, qui n'a rien voulu savoir. C'est peut-être pour ça que j'ai fait une histoire qui ne tenait pas debout. Pour moi, j'avais raté ma cible, c'était tout juste un film de réserve. Jamais je n'ai cru qu'il allait obtenir quatre-vingts points. Je ne pensais pas qu'il pouvait plaire, sinon, j'aurais travaillé un peu plus le texte.

Après le Honduras, c'est Manaus. La première fois que je viens au Brésil. Et là, mon nom m'ouvrait des portes, parce que « Amar » signifie « aimer » et dans un sens très fort. Au Brésil, c'est incroyable comme ces gens sont romantiques, et lorsque je prononçais mon nom, j'avais un succès fou. Entre autres, quelques Brésiliens m'ont proposé d'aller avec eux en Amazonie. « Pour faire quoi ? — Tu verras, en Amazonie, tu vas trouver un sujet, on va aller à l'aventure. »

Alors, on a loué un bateau et on est allés sur l'Amazone. Là, j'ai rencontré ces « Caboclos », ce mélange de Brésiliens du Nord-Est et d'Indiens d'Amazonie. Je pensais que ça aurait été un bon sujet. J'avais connu des moments très forts, comme dormir pendant cinq jours sur un hamac, la peur de me faire piquer par des serpents, ou la chasse aux crocodiles vers dix heures du soir. Dommage, je n'avais pas de lumière artificielle sinon j'aurais filmé des images incroyables. On a mangé du crocodile, on se baignait dans le Rio Negro, mais ces instants d'émotion intense, je crois que je n'ai pas réussi à les rendre : j'étais emporté par le côté touriste.

Il faut dire aussi que ma période de fascination était dépassée. Je n'admettais pas d'être septième, j'étais découragé. Alors, là, le voyage a commencé à prendre le dessus sur la course. C'était inévitable.

Je quitte Manaus pour aller à Rio de Janeiro. Là, j'ai vraiment travaillé très fort pour avoir un sujet. Néant. Je déconseille à n'importe quel candidat d'arriver à Rio à la période de Noël. Pour les Brésiliens, c'est le mois d'août, ils sont tous en vacances, personne n'a envie de collaborer. J'étais allé voir des gens, ils n'étaient pas chauds pour me trouver un sujet. Je suis allé à la cinémathèque brésilienne, il y avait des gens qui parlaient français, des cinéastes, mais ils n'avaient pas envie de travailler. Je suis donc resté une semaine en vacances, avec Cuisine, que j'ai aidé un peu pour réaliser ses reportages. Je crois que je suis tombé amoureux du Brésil. C'est un pays incroyable, je ne parle pas le portugais, mais je n'ai jamais autant parlé de ma vie avec les mains, avec les gestes, avec les yeux. La communication était très très facile. Ceux qui sont d'origine latine savent bien expliquer les choses. Je n'avais pas envie de partir du Brésil, je crois que si j'avais pu rester un mois de plus, je l'aurais fait mais il aurait fallu y faire des films et ce n'est pas le bon endroit au moment de Noël.

J'arrive à Johannesburg, et là, dès le départ, je prends un taxi avec un chauffeur noir. Il y a un policier blanc qui nous suit derrière. Je crois qu'à un certain moment le chauffeur a doublé sans mettre son clignotant. Le policier l'a remarqué, il a accéléré, nous a arrêtés, il est venu et il a engueulé ce chauffeur comme du poisson pourri. A l'hôtel aussi, j'ai trouvé des choses un peu désagréables. Ça prenait des formes subtiles, mais c'était flagrant. Je ne pouvais plus rester. J'ai pris mon escale bancaire, et je suis parti parce que là, je sentais que j'allais faire encore un film qu'on allait traiter de social. J'ai dit : « Non, il vaut mieux partir. »

Jean-François Cuisine
FRANCE

Au Brésil, ce n'est plus l'espagnol, c'est le portugais. Les langues, c'est un problème, surtout lorsque les gens n'essaient pas de faire d'efforts. Mais au Brésil, tout le monde essaie de faire un effort. Au bout de cinq jours, j'ai parlé de la Coupe de France de football avec un chauffeur de taxi pendant une demi-heure. Je ne m'étais jamais intéressé au football, mais quand je suis arrivé au Brésil, j'ai commencé à connaître les champions de football français, parce que tout le monde m'en parlait. C'est un petit peu pour ça que j'ai fait le deuxième film au Brésil sur le football, les femmes et la samba. Je sais que ce n'est pas celui-là qui a le plus frappé. Plutôt celui sur la déesse de la mer... Iémenja.

C'est amusant d'ailleurs, mes deux meilleurs scores dans la course, je ne les avais absolument pas prévus. Ils ont été attribués à des films dont le sujet, au premier abord, m'avait semblé plutôt mauvais : les amputés de Thaïlande et la déesse Iémenja. C'est un film que j'ai fait très rapidement, de six heures du soir à six heures du matin. Et sans l'avoir du tout préparé. Là, j'ai été vraiment un témoin. Je me suis mis sur la plage et j'ai filmé ce qui se passait, simplement ce qui se passait.

Les gens l'ont accepté vraiment très mal. Au Brésil, il y a quatre-vingts pour cent de catholiques et quatre-vingt-dix pour cent d'animistes ; les gens sont très réticents à être filmés en train de porter des offrandes à la déesse de la mer, alors qu'ils se disent très détachés des Macumbas, des vieux dieux.

Il y a une séquence dans le film où je crois avoir eu un bon réflexe, même si après j'ai eu un regard critique dessus. Une femme est tombée en transes devant moi, j'ai continué à filmer ; son mari, à côté, disait : « Arrêtez de filmer ». Et moi je me suis mis à genoux dans le sable, tout près d'elle et j'ai continué. Bien sûr, c'était un peu comme un viol. Et je m'en suis voulu, après coup, d'avoir fait ça.

Je voulais avoir une interview dans le film. Avec mes amis brésiliens on a dû demander à au moins cent personnes sur la plage. Pas une n'a accepté, sauf, au dernier moment, une femme qui a bien voulu dire pourquoi elle venait là, pourquoi elle croyait à cela.

Ce qui représente bien le Brésil, dans ce film, je crois, c'est la musique, parce que la musique était présente toute la nuit, là, sur cette plage, une musique qui n'est pas réellement de la samba, c'est cette musique brésilienne qui est à la fois religieuse et profane.

Mario Bonenfant
CANADA

Les fêtes de fin d'année, je les ai passées à Singapour. Noël à Singapour, c'est la fête commerciale par excellence. Pourtant il y avait un groupe de chrétiens qui fêtait Noël d'une autre façon, qui lui donnait son vrai sens. Ils ont formé un gigantesque arbre de Noël chantant, avec une chorale distribuée sur dix niveaux et tout un orchestre.

Ç'aurait été très chouette de tourner cela. C'est l'architecte du plus grand building de Singapour qui a créé la structure, c'est immense, dans le plus grand parc de Singapour à côté du Mandarin Hotel. Tous les jours, il y avait foule, ç'aurait été un film très intéressant. Mais il pleuvait, ce n'était pas possible.

Quand même, grâce à eux, j'ai vécu Noël. Je marchais dans la rue, tout d'un coup j'entends les chants, je m'approche. Le lendemain j'y suis retourné et j'ai assisté à toute la cérémonie. Ça me rappelait tant de réunions familiales. C'était très chaud, c'était mon Noël autour du monde, avec des tas de souvenirs et des larmes aux yeux.

Pour le Jour de l'An, ce sont les journalistes de l'A.F.P. — l'Agence Française de Presse — qui m'ont accueilli. Ils avaient organisé une fête pour le réveillon, il y a eu des petits cadeaux, on m'a donné un stylo, je l'ai toujours, je le garde comme un signe d'amitié. Le 1er janvier, je me suis senti seul, mais de Singapour c'est facile de communiquer avec les gens, comme on paie les communications téléphoniques par bloc de six secondes, sans excédent, je me suis mis à appeler tous mes amis de Trois-Rivières. Ça m'a coûté cent dollars. Mais j'avais fait des économies. Je ne suis pas dépensier, je choisis toujours des hôtels pas chers, je voyage le plus souvent en autobus. Dans la course, si vous voulez, vous pouvez mettre des sous de côté.

Donc, par téléphone, j'ai recréé une mosaïque d'affections. C'est drôle, tu es à l'autre bout du monde et tu t'aperçois que dans ton endroit habituel ça ne change pas tellement, que les gens sont toujours à la même place, qu'ils réagissent de la même façon. Ils te parlent évidemment de tes émissions. J'étais dans une phase ascendante, alors tout le monde était heureux. Au début, quand on m'écrivait on me disait : « Tu dois faire un beau voyage, les points ce n'est pas important... ». Mais à la fin, ça commençait à changer, évidemment, j'étais troisième...

Il faut que je vous raconte l'histoire de mon amie, la caméra. En Australie, pendant que je finissais le film sur les vins, elle tombe par terre. Bang ! Vite, je regarde, elle tournait normalement et à l'intérieur ça avait l'air normal. Je pars pour l'Indonésie, j'y tourne un premier film, je l'envoie à Paris. Deux jours après, Benoît m'appelle au téléphone : « Il faut que tu arrêtes de tourner avec cette caméra-là, tout est hors foyer, quelque chose s'est déplacé dans l'optique, il faut absolument que tu la répares ou que tu la changes. »

Affolé, je m'envole vers Singapour pour arriver avant la fermeture des magasins et aller voir le représentant Beaulieu. Il demande un mois pour réparer ma caméra : il faut qu'il l'envoie en France, et qu'elle revienne. Alors j'appelle Paris. Heureusement tout le monde est au bureau de la course et il y a plusieurs lignes téléphoniques. Pendant que Benoît me parle, Nouche appelle l'ingénieur de l'après-vente chez Beaulieu, ça parle dans tous les sens. On lui explique à cet homme, on lui dit ce qui s'est passé, ce qu'on constate aux résultats. Finalement, à neuf heures du soir, c'est décidé, je dois envoyer la caméra. Beaulieu va la réparer et le bureau de la course me la renverra. Au moment où Nouche me disait ça, je savais qu'un avion devait décoller pour Paris. J'appelle tout de même U.T.A., un long-courrier, ça prend quelquefois du retard ; justement, le vol est décalé de deux heures. J'ai juste le temps de filer en taxi à l'aéroport. Je cours voir les gens d'U.T.A., je leur fais comprendre que c'est une urgence. Ils me disent : « Tout le monde est à bord, il y a juste une passagère retardataire qui vient de passer le bureau, un gars à nous est allé la conduire. »

Je me mets à courir dans tous les sens. « Avez-vous vu une bonne femme avec un bonhomme ? » Je la rejoins juste avant qu'elle passe la douane, je lui explique rapidement... ma caméra brisée... qu'elle la prenne dans son sac jusqu'à Paris. Elle connaissait la course autour du monde, elle demande :

« Qu'est-ce que je fais en arrivant ?

— Vous appelez à ce numéro de téléphone, voici tous les papiers, la garantie et tout... merci. »

Elle est partie. Je n'avais même pas son nom. J'ai appris après que Fifi, La Flèche, s'était rendu à l'aéroport à l'arrivée de l'avion avec un grand panneau « la course autour du monde », qu'il avait récupéré la caméra, qu'à neuf heures et demie du matin elle était chez Beaulieu, que l'ingénieur,

M. Pitrois l'avait réparée dans la journée, le soir même elle repartait pour Singapour.

Malheureusement, je ne l'ai récupérée que huit jours plus tard, à mon retour de Bornéo, tout cela à cause d'une erreur de transmission dans le numéro de L.T.A. qui est le repère pour le frêt. Vous voyez cela ! Vous faites passer une caméra dans les mains d'une personne en deux heures et puis vous vous faites chier pendant une semaine à cause d'une erreur de numéro. C'est dingue. Enfin, il faut savoir apprécier ce qui a été fait : par le bureau de la course, par Fifi. Aux techniciens de Beaulieu, j'ai envoyé une carte postale pour les remercier, c'était bien peu de chose, mais je suis content de pouvoir leur redire ici combien ce qu'ils ont fait m'a touché.

STATIONS	TÉLÉ-GLOBE-TROTTERS	REPORTAGES	ACQUIT	JURY A2	JURY SRC	JURY RTL	JURY SSR	TOTAL SEMAINE	TOTAL	NOMBRE DE REPORTAGES	MOYENNE PAR REPORTAGE	PLACE AU CLASSEMENT ESTIMÉ
RTL	A. BRUNARD	«Dieux et démons de l'Himalaya» (Népal)	973	33	34	–	32	99	1072	13	82,4	1ᵉʳ
SRC	M. BONENFANT	«Sepak Takraw» (Malaisie)	911	30	–	23	28	81	992	13	76,3	2ᵉ
RTL	M. de HOLLOGNE	«Sékou Touré, dictateur au nom du peuple» (Guinée)	894	33	25	–	32	90	984	13	75,6	3ᵉ
SSR	R. GUILLET	«Meilleurs messages de Bangkok» (Thaïlande)	901	27	23	27	–	77	978	13	75,2	4ᵉ
A2	A.-C. LEROUX	Repos	968	–	–	–	–	–	968	13	74,4	5ᵉ
A2	J.-F. CUISINE	«La règle des 3 M» (Brésil)	891	–	27	21	21	69	960	13	73,8	6ᵉ
SRC	G. AMAR	Repos	913	–	–	–	–	–	913	13	70,2	7ᵉ
SSR	Y. GODEL	«Saké coule» (Japon)	805	24	23	26	–	69	874	13	67,2	8ᵉ

Marc de Hollogne
BELGIQUE

Après un mois de travail laborieux, ma route allait désormais croiser celle de grands hommes. Deux surtout ! Deux personnages qui, sans nul doute marqueront l'histoire de leur empreinte. Avec le premier d'entre eux, j'avais comme une sorte de rendez-vous. Avec un petit homme de Dieu. Avec ce monseigneur pas comme les autres qu'est Dom Helder Camara.

Depuis le départ, je me suis surpris à réaliser quatre films à caractère religieux. Celui-ci allait conclure cette série... Je pense que je n'aurais réellement pas pu rencontrer un personnage aussi important, aussi compétent, aussi efficace, dans ce domaine ! A soixante-quatorze ans, il déplace encore des foules, des montagnes. Des montagnes de notes, de musiciens ! Car en fait j'ai cherché à l'aborder sous un angle relativement neuf. Il y a deux ans d'ici, ce docteur *honoris causa* tous azimuts décide de s'adresser à ses fidèles non plus par le biais de conférences « questions-réponses », méthode qu'il affectionne tout particulièrement d'ailleurs, mais par le biais d'un art qui touche et émeut tout le monde : la musique ! Une symphonie ! Il en écrit le livret et Pierre Kaelin, compositeur suisse, la musique.

Son texte, pourtant très naïf, prononcé par lui et bien sûr porté par toute l'orchestration, prend une réelle dimension. Il récite donc. Rappelant ainsi le rôle du récitant dans les tragédies grecques. Donc cet homme extraordinaire, c'est quand je suis revenu au Brésil que je l'ai rencontré. Un autre Brésil, puisque cette fois c'est Récife, la côte, et non plus l'Amazonie, comme un mois auparavant. Je me revois pénétrer dans le palais des mangues ! Ce palais que l'Église vient de lui reprendre, car l'évêque rouge (comme l'appelait Jean XXIII) reçoit décidément n'importe qui !

J'étais accompagné d'une hôtesse et d'un steward Air France. Deux timbrés du Brésil ! Depuis un bail ! Qu'est-ce qu'ils n'avaient pas encore vu de ce pays ? Monseigneur justement ! Premier contact : il nous reçoit dans une salle où il semblerait qu'il travaille, qu'il écrive. Tout de suite je suis assez stupéfait de l'état dans lequel il semble se trouver ! Mes valises, c'est pas triste, mais celles que, lui, porte sous les yeux... Il semblait épuisé, éreinté. Mais à peine assis à ses côtés, le cinéma a commencé comme il débute d'habitude ! Le steward et l'hôtesse, s'exprimant dans un portugais bien « mouillé », conversent avec lui. Ils font des étincelles ces bougres ! Tout juste comme si je dérangeais ! Ce que je n'oublierai pas, c'est que tout en leur parlant, il a réveillé ses mains. Si réputée... l'expression de ses mains ! Elles valsent dans les airs. Puis retombent brutalement sur la table. Le choc du bois et d'une bague qu'il porte au doigt me faisait sursauter. Du cirque ! L'homme de théâtre s'emporte ! Il me fascinait. Moi qui le croyais au bord d'une syncope de fatigue, il se mit à gesticuler avec tant de véhémence que j'en attrapais le mal de l'air ! Le plus surprenant fut lorsque, au lieu d'atterrir sur la table, ses mains se mirent à frapper mon épaule ! Avec force. Et comme je ne saisissais rien de leur discussion, il me tapait comme si je me devais d'approuver ! L'hôtesse et le steward ont dû trouver ça drôle, puisque pour me voir encore boxé un moment, ils se sont efforcés que la conversation monte d'un ton !

Le lendemain, nous nous retrouvons seuls, dans la même pièce. Là, nous parlons du film. Manque de bol, un cinéaste brésilien sortait de chez lui ! Malheur ! car celui-ci lui avait demandé de se laisser filmer, un pot de yaourt en main... Monseigneur faisant des pub ! Il déblayait le plancher lorsque je suis arrivé. Il se méfiait, du coup ! Nous tournons quelques séquences. L'homme de théâtre, un peu cabot de surcroît, me facilitait la tâche. Il voyait combien je me démenais pour tourner chaque plan ! La nuit j'avais disséqué sa symphonie. Je la connaissais presque par cœur. Cela le toucha. Mais le contact entre lui et moi ne passait pas outre mesure. Or, j'y tenais ! L'entendre rêver tout haut de spectacles... cela ressemblait trop à mes espérances scéniques ! Il rêve d'une nouvelle symphonie-ballet ! Avec Béjart ! Nous échangions nos idées. Il a dû me trouver bien prétentieux ! Mes idées de spectacles semblaient aussi démesurément irraisonnables que les siennes ! J'ai rencontré un enfant chez cet homme. Un enfant qui soulage la douleur de tout un peuple. Un enfant qui parle de choses graves, mais un véritable môme qui remercie toutes les trente secondes le Seigneur !

Et puis il y a eu ce plan, qui pour moi reste le plus cinématographique de ma course. Une véritable mise en scène ! J'étais un peu gêné de lui demander de se plier aux exigences du tournage. Quand il me fait visiter le palais, nous passons par la chambre où le pape venait de séjourner. Puis dans un couloir. Ce couloir me donna l'envie de jouer avec son visage et en profondeur de champ... un crucifix. Lui en gros plan, à gauche, dans l'autre moitié du cadre, quinze mètres derrière, le crucifix ! Le plan exigeait une dextérité que je ne possède pas. Raison pour laquelle... on le tourne une fois ! Il comprit que je n'étais pas satisfait. Deuxième prise. Cette fois il est sorti du cadre ! On remet encore cela. Chaque prise, chaque nouvelle préparation durait un quart d'heure ! Et lui, il se trouvait sous mes lampes de 1 000 watts. Il transpirait mais semblait se donner davantage au fur et à mesure que je l'enquiquinais. Troisième prise. Deux Brésiliennes étaient chargées d'allumer les lampes au moment où le crucifix devait apparaître dans le jeu de focus. Ce ne fut pas précis, et ce petit homme de Dieu comprit combien ce plan me tenait à cœur : il me proposa lui-même de le retourner une quatrième et dernière fois... Une heure... nous étions de ce fait condamnés à la réussite !

La franchise avec laquelle il s'exprime, la logique aussi me rappelèrent Ted Noffs, ce révérend à Sydney qui baptise les enfants au nom de toutes les religions, qui puise dans toutes les religions ce qui est à puiser ! Si je n'en ai pas fait état, c'est que Dom Helder Camara semble illuminé par une sagesse encore plus volontaire ! Ce non-violent actif ne réprouve pas seulement la misère du Tiers-Monde. Il s'adresse à nous aussi. A la course aux armements, à ce monde pourri, qui ne lui ôtent pourtant pas l'envie d'espérer. Je vous l'ai dit... un enfant !

Un autre grand personnage ! Une autre grande sagesse ! La force dans la sagesse, tout comme l'éléphant. Un homme mis au banc des accusés depuis le jour où il décida de libérer son pays, son peuple, du colonialisme... De Gaulle n'eut pas le choix face à Sékou Touré ! De loin, *la* rencontre de mon voyage !

Je débarque à Conakry. Et comme cela aurait dû figurer dans le film (mais fut éliminé, question de timing), en discutant avec un chauffeur de taxi, j'apprends que le président (visiblement adoré par ses Guinéens) reçoit quotidiennement qui désire le rencontrer. Il auditionne plusieurs centaines d'hommes et de femmes venus lui demander conseil. Il me l'expliqua par la suite, c'est tout le rapport entre le médecin, le patient et le médicament. Ce dernier n'agira que si le patient voue une confiance totale à son médecin. Deux ou trois mots de Sékou Touré valent toutes les palabres d'un docteur ! Et cela défile toute la journée, il garde même un petit nombre de ces gens à tous les repas. Cireurs de chaussures et ambassadeurs se côtoient, fourchette en main !

Débarquant en Guinée, rien ne me prédisposait cependant à me mettre en tête de le filmer. Et pourtant, il suffit de l'entendre parler. Cela devient inévitable. La presse française l'a tant défiguré : « Ce monstre sanguinaire qui torture... élimine... supprime... » que l'on crierait au scandale si un petit globe-trotter s'en venait à tomber en admiration devant cet homme hors du commun ! Tellement loin de ces pensées ! Il possède une connaissance du monde géopolitique qui lui permet de résumer l'histoire des temps en quelques phrases... les conclusions s'imposent !

Je me suis donc retrouvé à sa table. Je ne lui étais pas hostile, mais l'on m'avait bien mis en garde ! Un dictateur ! Effectivement. Mais quel génie de sagesse ! Tout a commencé lorsqu'il entama une discussion sur la femme. C'est lui qui le premier instaura les mesures pour libérer l'épouse, la mère, la sœur, de leurs conditions. Je n'en revenais pas. Le visage de cet homme semblait illuminé par je ne sais quelles lueurs ! Il incarne une bonté humaine sans malice, sans ruse... il parlait de la femme comme personne ne le fait. Je me trouvais face à l'extrême opposé du tableau que l'on a toujours présenté de lui.

Sans trop arriver à l'expliquer concrètement, plus je l'écoutais, plus je devinais ce qui allait se produire. Le règlement interdit tout film à caractère politique. Et puis comment arriver à traduire les intuitions ? C'est mon instinct qui hurlait au génie. Pas encore la raison ! Mais la course ne permet pas de se croiser les orteils. Que faire ? Partagé entre une honnêteté vis-à-vis de mon travail, de ce que je ressens... et partir tourner un rite africain tape-à-l'œil... J'hésitais, d'abord tout bêtement au niveau du règlement.

Alors, j'ai téléphoné à Roger Bourgeon, pour lui poser la question : « Filmer Sékou Touré, est-ce un acte politique interdit par le règlement ? » Il m'a dit : « A partir du moment où tu demandes à quelqu'un de s'exprimer, tu n'es qu'un truchement... Il ne s'agit pas d'un acte politique. Ce n'est pas une propagande... tu ne fais que passer l'image et ton micro à quelqu'un qui prend ses responsabilités. » Pourtant j'ai su plus tard que la télévision canadienne avait hésité à diffuser le film.

Trois solutions s'offraient à moi pour le traiter : soit je retirais totalement mon épingle du jeu et l'on aurait eu raison de me reprocher mon manque d'investissement ; soit j'en disais du mal, histoire de plaire à tout le monde ; soit, fidèle et loyal, Hollognus s'en allait en guerre contre l'opinion ! Si vous y prêtez attention, le film passe par ces trois stades... Manque de caractère de ma part ! Faut dire que mon fidèle parrain refusait de me laisser aller à l'abattoir. J'ai mitigé le commentaire du film en dernière minute. Ce portrait de Sékou Touré ne ressemble en rien à celui que j'avais envisagé de vous présenter, chers fidèles subordonnés du petit écran !

Il venait de tenir un conseil des ministres lorsque je lui fis part de mon projet : ne pas approcher l'homme politique... mais lui ! Lui, avec beaucoup de gros plans ! Je voulais les expressions de son visage. Cela ne se trouve pas dans le film. Ce tralala, cela ne l'intéresse pas. Il me refuse sa collaboration. Pourtant le courant est déjà passé. Il juge très rapidement ceux à qui il s'adresse. Moi, j'avais le flash et pas question d'en démordre !

L'éléphant me porta alors une attention toute particulière. Je dois vous dire que j'étais son invité. Une suite à l'hôtel de l'Indépendance. Rien que cela ! Un chauffeur et un « assistant ». J'étais bien frappé par certains comportements des Guinéens. De tous les Africains, il paraîtrait que c'est le Guinéen le moins complexé. Sékou Touré ne leur a pas enseigné l'esprit de vengeance, bien au contraire. Le Blanc peut se promener tranquille ! Alors pourquoi, lorsque quelqu'un décroche un téléphone, il ne dit pas « Allô », mais : « Prêt pour la révolution »... Pourquoi est-ce qu'ils portent tous une telle admiration à leur président... Comment se fait-il que ce pays marche vers un progrès social et économique lointain, mais certain ? Comment se fait-il que les Guinéens s'expriment dans un français impeccable ? Pourquoi ?... Petit à petit, je devais me rendre à l'évidence, il s'agissait bel et bien d'une dictature !

Après avoir suffisamment insisté et obtenu l'approbation de mon hôte, il m'invite à le suivre en déplacement dans le pays.

Le film témoigne de la fièvre du peuple accueillant son dictateur. Car le défilé, son discours, me l'avaient cette fois confirmé, l'homme dirigeait le pays ! Le soir même, rentré à Conakry, il me retint tard au palais et éclaira ma lanterne... non pas en répondant à mes regards interrogateurs, mais en me faisant découvrir l'enregistrement vidéo de son arrivée sur l'île de Gorée ! Mouvements de masse, robotisations, assassinat de la personnalité !

114

Tous, mêmes habits, même salaire, mêmes études, même logement : une totale unification ! « Ce peuple est heureux, me dit-il, la dictature convient dans certains cas, tel un démarrage économique. »

Cet homme a élevé son peuple, l'a libéré des colons à la force du poignet. Il est le responsable suprême de la révolution. C'est idiot de tenter de vous raconter tout cela. Il faudrait vingt pages de plus ! Il faudrait surtout aller voir là-bas. En dirigeant ainsi son peuple, Sékou Touré a propulsé son pays vers un succès dans l'avenir. Ils respirent le bonheur là-bas, ils ont d'innombrables ressources minières, l'essentiel ! Lui, il passera, un peuple reste ! Et l'histoire nous prouvera la sagesse, la patience avec laquelle il réalise son œuvre... son pays.

Yves Godel
SUISSE

En Nouvelle-Zélande, c'est mon premier film symbolique : « le vilain petit canard. » J'avais décidé une identité dans la course, on ne peut pas faire du Dana si on s'appelle Godel ; je cherchais un personnage auquel j'essaierais plus ou moins de me superposer. J'ai choisi quelqu'un qui avait tout d'un vilain petit canard et entre autres, le manque de succès. Une personne seule, pas très jolie, complètement originale dans la tête, mille fois plus que moi, quelqu'un bourré d'idées, vraiment le portrait type de ce qu'il me fallait. En faisant ce film, je ne voulais pas avoir une démarche style : « Comment est-ce que tu manges ? Qu'est-ce que tu fais dans la journée ? » Je voulais aborder le thème de l'uniformité, ça me tiendra à cœur toute ma vie, le fait de haïr tout ce qui est uniforme et, par rapport à la course autour du monde, c'était une manière de me démarquer des sept autres candidats.

C'est pour ça aussi que je tiens autant à cette place de huitième.

Depuis la Nouvelle-Zélande jusqu'à la fin de la course, il y a eu une évolution à ce niveau, niveau liberté J'en arrive à être fier d'avoir osé.

Au Japon, mon unique film c'est un film sur le manque de communication, que j'ai vraiment ressenti là-bas. Se retrouver au milieu d'une foule et ne pouvoir communiquer avec personne, malgré qu'ils soient très sympathiques, très ouverts, ne rien pouvoir leur dire et ne rien pouvoir comprendre. A un moment je me suis trouvé dans un parc en disant : « Mais qu'est-ce que je vais faire ? » Trois Japonais sont venus vers moi avec une grande bouteille de saké, ils avaient l'air de dire : « Allez mon vieux, on voit que tu as un problème, allez bois un coup, ça te fera oublier tout. »

J'ai essayé de faire un film de ça. J'ai filmé une soûlerie où je dis : « Oui, je bois parce que j'en ai marre de ne rien comprendre. » Et après m'être soûlé, je rêve, je pars et je découvre un Japon que j'ignorais plus ou moins, un Japon calme, un Japon fin.

J'ai choisi une musique qui vraiment évoque le calme, ces vues d'oiseaux qui tournent, on sent le rêve et toute cette série de reflets d'eau... C'était vraiment une expérience de tourner ça. J'ai commencé à filmer ces reflets, sur un petit étang. Il y avait un calme total et deux habitants : deux poissons, l'un grand de trente ou quarante centimètres, jaune, l'autre rouge ; ils se sont approchés de moi et puis j'ai eu un contact avec ces poissons, ils venaient vers moi, je les filmais, et c'était vraiment une ambiance incroyable.

Le Bangladesh, c'était le fond de la tasse... Je n'étais pas du tout prêt, ni psychologiquement, ni culturellement, à aller au Bangladesh.

On a beau dire, si on connaît le Brésil, par exemple : « Les pays pauvres, je connais, les gens qui crèvent de faim, je connais », le Bangladesh, c'est mille fois pire. C'est terrifiant d'arriver dans la capitale, Dacca, et de voir que tout repose sur la misère.

Un soir, j'ai rencontré par l'entremise de mon directeur d'hôtel, un soi-disant cameraman de la télévision de Dacca. Je lui ai dit : « Je cherche quelque chose d'original. » Il a eu l'air d'avoir compris ce que je voulais. On part vers six heures sur un petit vélo, on traverse toute la ville, il faisait déjà noir parce que c'était l'hiver. Des tas de gens, des rues bondées, très peu éclairées. Il m'amène dans un bistro, exigu, un endroit clandestin ; environ une centaine de personnes sont assises par terre, habillées en blanc, sales, nageant dans la décrépitude.

Parmi ces gens, dix travestis, vulgaires, agressifs, qui couchaient ensemble avec des types au milieu de la salle. Moi, j'étais là avec tout mon argent, ma caméra, mon appareil, prêt à tout, prêt à filmer, comme un grand reporter, mais le grand reporter commençait à avoir la trouille.

C'est une impression incroyable d'avoir un vent de regards qui vient vous agiter les cheveux, vraiment on reçoit tout dans la figure.

On s'assoit dans un petit coin. Il y a deux travestis très provocateurs qui commencent à danser autour de moi. Et puis il y en a un autre qui vient, mon cameraman lui dit quelque chose à l'oreille, le travesti me regarde, comme ça d'un drôle d'air... et se précipite sur moi.

Mon premier réflexe a été pour mon matériel, j'ai eu le réflexe de me retourner sur mon sac. Heureusement, ça n'a pas duré trop longtemps et la personne n'a pas trop insisté. J'étais vraiment à bout de nerfs, je ne savais pas que ça pouvait m'arriver ce genre d'histoires et puis je trouvais ça tellement sordide, rien que l'idée me débectait complètement. J'en ai voulu terriblement à mon cameraman, je lui ai demandé très sèchement : « Pourquoi est-ce que tu lui as demandé... », il s'est contenté de me répondre : « Mais je croyais que tu en avais envie. » Je l'ai vraiment engueulé, je l'engueulais tout en étant à ses talons parce qu'on avait deux heures et demie de vélo à faire et je ne savais même pas dans quel quartier j'étais. C'est quelque chose de fou quand on se lance dans une histoire comme ça.

Malgré la conscience du danger, l'envie qui vous pousse à aller voir, à aller jusqu'au bout, est plus forte.

C'est peut-être ça l'aventure, la vraie aventure.

Alain Brunard
BELGIQUE

Jusqu'à Hong Kong, je peux vous assurer que le classement, les points, n'avaient pour moi aucune importance. Je vivais des moments intenses, c'était fort, c'était nouveau, je la vivais à fond, cette course et je n'ai jamais pensé aux points.

Cela a commencé à tourner dans ma tête à partir de Hong Kong, quand Gilbert Nicoletta m'a dit au téléphone : « Tu es premier, tu fais de bons films, il faut que ça continue. »

Pour moi, c'était extraordinaire, je ne m'attendais pas à être en tête du classement puisque j'étais affolé par la méconnaissance que j'avais de la caméra. Là, à Hong Kong, je me suis effectivement accroché à ces points et j'ai suivi une certaine optique, il fallait que j'assure...

C'est stimulant, certainement, cette émulation c'est un moteur, mais ce qui est un peu dommage c'est qu'à partir de ce moment-là, on est un peu canalisé vers — je dirais — des sujets « course », des sujets bien construits, carrés, des sujets de reportage.

A Katmandou, deux journalistes de Géo devaient m'attendre, ils m'avaient dit qu'ils me chercheraient des sujets. Je suis arrivé au Népal, ils étaient partis depuis trois jours. J'ai rencontré d'autres personnes mais le temps avançait, il ne me restait plus que trois jours pour faire un film et je n'avais toujours rien. Mon premier sujet au Népal, sur la vie d'une journée d'un village, je l'ai tourné précisément en une journée. Je me suis levé à quatre heures du matin pour la lumière ; comme vous l'avez vu dans le film, c'est une lumière rasante, très chaude. Il était six heures quand j'ai commencé à filmer et j'ai repris vers quatre heures de l'après-midi, pour avoir le même ton de lumière. Je suis rentré à Katmandou et j'ai commencé à écrire mon commentaire. Il était un peu « poétique ». Quand j'ai eu mis dans la pochette les bobines, le plan de montage, le commentaire et tout ça... j'ai refermé en me disant : « Ça ne va pas marcher. »

C'est un sujet qui m'avait plu, pourtant, parce que justement ce n'était pas un vrai sujet. Même en me disant que j'allais me ramasser, j'étais heureux.

Quand j'ai appris les points trois ou quatre semaines après et qu'on m'a dit que ce film avait été très bien noté, ça m'a fait terriblement plaisir. J'ai vu qu'on n'est pas obligé de trouver une bonne histoire pour que ça puisse marcher. J'étais très heureux de cette réaction de la part des jurés. Je pensais que, pour la course, il fallait trouver des sujets insolites, étonnants, surprenants, et je me suis rendu compte qu'en racontant simplement les faits de la vie quotidienne, ça pouvait fonctionner aussi.

Au Népal il y a eu une autre expérience très différente. On était à Katmandou, c'était Noël, j'étais avec des amis et je discutais avec une ethnologue qui travaillait depuis deux ans à la frontière, dans un petit village tibétain. Elle me parlait avec passion de la thèse qu'elle était en train de construire. On a discuté pendant toute une soirée et je lui ai demandé si je pouvais filmer des jankris, c'est-à-dire des sorciers. Elle me dit : « Peut-être il y aura une cérémonie de jankris dans mon village, peut-être pas, je repars demain, je te promets de te tenir au courant. » Quatre jours après, une lettre arrive : « Tu peux venir, quelque chose va se passer. »

A ce moment, je prends un sherpa qui portait mes affaires et on part dans la montagne. On a d'abord pris, de Katmandou, un bus pendant une dizaine d'heures, et puis, fin de la route, le bus s'arrête, c'est fini. Le sherpa descend, il ne parlait pas un mot de français, pas un mot d'anglais, il ne parlait que le népalais, donc il me fait des signes, je le suis, en pleine montagne, avec de la neige en haut.

Il avait tout mon matériel qu'il portait sur le front, il marchait pourtant à une allure absolument incroyable, je n'arrivais pas à le suivre, j'avais une langue jusque par terre. Je lui demandais de m'attendre, mais il ne comprenait pas, il continuait, c'était affolant. Parfois, on s'arrêtait, ça aussi c'était étonnant. Ce qui est extraordinaire dans la course, ce ne sont pas les points, ce ne sont même pas tellement les sujets, c'est toute l'expérience qu'on vit pour arriver au sujet et les liens qu'on tisse avec les gens dans cette circonstance. Ça m'est arrivé souvent de voir des gens qui pleuraient quand je les quittais. C'est quand même fou des gens qui pleurent parce que vous partez. Vous ne les avez rencontrés que cinq jours, vous savez que vous ne les reverrez peut-être jamais. Mais pendant ces cinq jours là, c'était extraordinaire.

Avec ce sherpa, j'ai lié un contact particulier. On ne parlait pas, on communiquait seulement par gestes. On a passé des villages, trois, quatre maisons comme ça, dans la montagne. Il y avait la neige, les gens nous accueillaient. On buvait du thé avec eux. Ce voyage à pied, ça a duré neuf heures et dans la montée, vous savez, ce n'est pas une autoroute. On est arrivés là-haut, le sherpa a commencé à crier dans la montagne, ça résonnait, c'était une atmosphère incroyable. Tout le village nous attendait sur un piton rocheux. Les habitants nous regardaient arriver et mon amie ethnologue était là aussi. Moi j'étais complètement mort de fatigue. Elle me dit : « Demain matin, à six heures, on commence, il y a un malade dans le village, un des jankris a commencé une séance de guérison. »

On me loge dans une étable, il y avait des vaches qui dormaient et tout un tas d'animaux. Je dors dans le foin. Elle, l'ethnologue, avant, elle habitait Paris, ça faisait deux ans qu'elle était dans ce village, deux ans qu'elle vivait dans ces conditions — pas d'électricité, pas d'eau courante —, qu'elle dormait dans le foin à côté des animaux. Elle a appris la langue sur le tas, ils ne parlent pas népalais ces gens-là, ils sont originaires du Tibet, ils parlent une langue bien à part, utilisée dans le monde entier par seulement quarante mille personnes. Donc, elle a appris cette langue petit à petit, tout le village l'adorait.

Moi, j'ai connu le moment le plus merveilleux de la course. Un soir, une petite fille népalaise qui devait avoir six ou sept ans, est entrée dans l'étable... Elle était la seule enfant du village à apprendre à lire et à écrire avec l'ethnologue. Et elle venait simplement me montrer son cahier. En népalais, je ne comprenais rien, bien sûr. Mais c'était tellement beau, le geste qu'elle a fait. J'ai pris ce carnet, j'ai fait semblant de lire et d'admirer ce qu'elle faisait. Elle s'est assise à côté de moi, elle m'a regardé... Quand je suis parti du village, j'avais envie de la prendre avec moi, elle me suivait partout, elle était minuscule, et on sentait qu'elle avait envie d'apprendre, envie de me suivre. C'est mon plus beau souvenir.

18e SEMAINE DE COURSE

STATIONS	TÉLÉ-GLOBE-TROTTERS	REPORTAGES	ACQUIT	JURY A2	JURY SRC	JURY RTL	JURY SSR	TOTAL SEMAINE	TOTAL	NOMBRE DE REPORTAGES	MOYENNE PAR REPORTAGE	PLACE AU CLASSEMENT ESTIMÉ
RTL	A. BRUNARD	«That's entertainment» (Inde)	1 072	–	–	–	17	62	1 134	14	81	1er
SRC	M. BONENFANT	«Tatami» (Japon)	992	33	–	30	34	97	1 089	14	77,7	2e
RTL	M. de HOLLOGNE	Repos	984	–	–	–	–	–	984	13	75,6	3e
SSR	R. GUILLET	«Les charmeurs de la piste de Transe» (Cameroun)	978	28	25	27	–	80	1 058	14	75,5	4e
A2	J.-F. CUISINE	«Federspield» (Guyane)	960	–	26	25	26	77	1 037	14	74	5e
A2	A.-C. LEROUX	«Ainsi parlait» (Australie)	968	–	22	21	22	65	1 033	14	73,7	6e
SRC	G. AMAR	«L'euphorbe, la plante miracle» (Kenya)	913	25	–	26	28	79	992	14	70,8	7e
SSR	Y. GODEL	Repos	874	–	–	–	–	–	874	13	67,2	8e

Raphaël Guillet
SUISSE

Le Cameroun ! J'arrive au Cameroun sans visa. J'ai juste une explication avec laquelle je peux essayer d'avoir un visa au Kenya. Seulement comme il n'y a pas d'ambassade du Cameroun au Kenya, normalement, j'aurais dû être refoulé. Mais en plaisantant avec le douanier — « Comment sont les filles, ici », enfin le truc habituel pour les faire rigoler un peu —, ça a très bien marché. Ça commençait bien au Cameroun. Seulement c'était un peu plus difficile au niveau du tournage parce que, pour tourner là, il faut un visa.

Du Cameroun, je me souviens surtout du fait que j'ai dû tourner les deux sujets en une journée très rapidement pour limiter les risques, si bien que c'est au Cameroun que j'ai le plus vécu la partie « voyage » de ma course. J'avais à peu près six jours de libres pour faire un commentaire. Dans un bar, j'ai rencontré un type qui a travaillé en France comme saxophoniste. Il est maintenant tenancier de ce bar où j'ai vécu des moments mémorables. Il avait été saxophoniste de Nougaro. J'ai passé énormément de nuits là-bas, je n'ai jamais autant dansé et sué qu'au Cameroun, ça, c'est pour l'anecdote !

En arrivant j'ai d'abord eu une petite déception, car j'apprends que j'ai raté un sujet, à deux semaines près, puisque les Américains venaient d'achever un tournage dans la brousse avec des milliers et des milliers de figurants du lieu, ce qui aurait été un sujet à faire exploser d'images le petit écran. Des images de tous les côtés sur un thème qui m'est cher : le cinéma. Mais je pense que ça arrive à tout le monde, ce genre de choses. Déjà au Japon, à Kobé, j'étais arrivé trois jours après l'enterrement d'un haut personnage de la mafia japonaise, enterrement qui avait attiré à Kobé des dizaines de limousines noires des gros bonnets de l'organisation. Il y aurait eu peut-être des images assez extraordinaires à faire, montrant comme une invasion noire de cette ville pour l'enterrement de ce personnage.

Je reviens au Cameroun. Je suis parti en brousse — pas de téléphone là-bas, bien sûr, il faut aller voir sur place — pour essayer de faire le portrait du roi Api II, le principal membre d'une chefferie. Il a deux particularités. Premièrement, jusqu'au moment où, à la mort de son père, il a pu prendre la direction du village, il a travaillé chez Renault en France comme mécanicien. C'est drôle, non ? Et, d'autre part, il est monogame, alors que les rois de ces chefferies-là en général sont entourés d'énormément de femmes.

Il y avait donc un sujet un peu comique à faire là-dessus. J'ai fait le voyage d'une journée en taxi-brousse, dans ces taxis où les poules vous volent par-dessus la tête et je suis arrivé sur place. Api II était reparti en France parce qu'il était malade, alors, retour à Douala pour un autre sujet !

Ces « échecs » sont des expériences qui nous font également découvrir le pays. A Douala, j'ai tourné un film sur le commerce nocturne, sur Angèle en particulier, j'ai fait un portrait.

Il y a encore un autre sujet raté dont je voudrais parler. J'étais intéressé par un personnage, une artiste de deux mètres qui ressemble étonnamment à Fernandel. On l'appelle « la Grande Julia ». Elle fait un spectacle de danses et de chansons avec deux petites danseuses à ses côtés, elle est habillée de la manière la plus colorée qui soit et elle habite dans un taudis. Elle se prend pour une star qui va percer, c'est sûr, pour elle, qu'elle va percer ! Ça me plaisait beaucoup parce qu'il y avait le côté comique de cette grande femme qui se prend pour une star, et le côté tragique du fait que tout le monde se fout un peu d'elle et qu'elle fonce dans un chemin barré. Au niveau images, il y aurait eu du rythme, le seul ennui, c'est qu'elle se prend tellement pour une star qu'elle me demandait de la payer, rien que pour être filmée, une somme qui équivaut à quinze mille dollars ! Sur le moment, je l'ai mal pris bien sûr, maintenant ça me fait plutôt rigoler.

Dès qu'on est blanc en Afrique — je ne veux pas faire de racisme — on pense que vous avez plein d'argent. On a beau expliquer que la course est un concours, qu'on doit se débrouiller pour trouver des sujets et que, si on paie un petit peu, c'est toujours sur notre argent de poche, en espérant pouvoir dormir chez quelqu'un la semaine suivante...

Ainsi il a fallu un peu feinter, comme je dirais en termes de football, avec Angèle. Je me suis présenté comme un cameraman, envoyé par une maison de distribution depuis Paris pour un film qu'on allait faire au Cameroun très prochainement. On a inventé une histoire, on lui a dit qu'on cherchait à faire des repérages des lieux et surtout des acteurs qui pourraient travailler dans ce film. On lui a monté une petite histoire. On a mis toute la sauce afin qu'elle accepte de tourner pour un prix pas trop élevé. On a donc monté toute cette histoire, sans quoi elle aurait demandé une somme excessive, que je venais exprès de Paris, envoyé par la maison de production, là j'étais vraiment le cameraman de choc, et j'ai pu tourner ce sujet dans le bar.

J'avais envie de faire ça parce que, de l'Afrique ce que je voulais montrer avant tout, c'est l'Afrique rythmique, et l'Afrique rythmique des bars. Douala est une ville où il y a énormément de bars, et le gouvernement ne veut pas montrer cette face-là du Cameroun. Je ne vais pas critiquer ce gouvernement parce que si on pouvait établir une hiérarchie du sanguinaire, je ne pense pas qu'il aurait la médaille d'or, le Cameroun, loin de là, mais il se trouve que pour tourner certains aspects de la vie dans le pays, c'est très difficile,

Une fois de plus, en ce qui concerne l'autre Afrique, celle des droits de l'homme bafoués, je suis sensible à tous ces problèmes, je milite dans des mouvements comme Amnesty International, mais je crois qu'il faut laisser ça à des gens qui prennent plus de temps qu'une seule semaine pour traiter ces sujets-là. On y est trop facilement sommaire et je n'ai pas envie d'être sommaire sur ce thème. Alors je reviens à la fille : Angèle. J'ai tourné une journée avec elle, il y avait un peu ce mensonge entre nous, mais finalement j'ai essayé quand même de discuter, on a été boire un pot, pour mieux se comprendre, pour mieux pouvoir en parler, et le sujet, je crois, est assez bien passé. D'ailleurs elle n'était pas repoussante du tout, et j'ai fait de belles images.

Ensuite il y a eu le deuxième sujet du Cameroun : le guérisseur. Il m'a été indiqué, je me souviens très bien, quand, un soir, je n'avais pas le moral parce que j'étais à court de sujet, je ne voulais pas faire n'importe quel sujet artisanal. J'ai toujours choisi des thèmes qui me permettent de dire « je », parce que la course pour moi, c'était l'occasion ou jamais de dire « je », pas un « je » partisan de quelque doctrine, mais un « je » impliqué, un regard personnel sur ce qu'il m'est donné de découvrir et qui énumère une espèce de trajectoire dans la course. Les sujets artisanaux ne permettent pas ça.

Donc, ce soir-là, j'étais un peu inquiet et, finalement, on m'a mis en contact avec un copain de Belmondo et de Michel Audiard, un ancien Mister Univers, une montagne de muscles. Il m'a bien reçu dans son cabinet ; il a installé là-bas un centre de musculation. Il avait été soigné lui-même pour une maladie et sa sœur avait été sauvée par un guérisseur. Il m'a parlé de ça et il a bien voulu me mettre en contact avec ce guérisseur. Cet ami de « Bébel », Charlie — car il s'appelle Charlie — a vécu d'ailleurs en France ; il a tourné dans quelques films comme figurant et cascadeur.

Quand j'arrive chez le guérisseur, il y avait un malade qui avait été — je ne mens pas dans mon commentaire — empoisonné par sa femme. Il se trouvait en fin de traitement, il a bien voulu rejouer la scène et ils ont préparé ça... Je dois dire que cet homme était bien disposé, uniquement parce que Charlie était un très bon ami pour lui, sans quoi il n'aurait pas du tout été coopérant. Il sait qu'on est très sceptique vis-à-vis de ce genre de médecine, et moi aussi d'ailleurs !

C'est un mélange de christianisme et de diverses religions. Le guérisseur essaie d'entrer en contact avec ce qu'il appelle les bons esprits, il fait appel à eux pour qu'ils viennent combattre les mauvais esprits installés dans le corps du patient malade. J'explique certaines techniques dans le film, par exemple quand des enfants marchent sur le corps. Le rythme et les enfants sont des éléments à esprits favorables, le rythme parce que c'est l'hymne à la vie et les enfants parce qu'ils sont purs, qu'ils n'ont pas été souillés, ils peuvent donc attirer les bons esprits comme un linge blanc attire la lumière. Mais je n'y crois pas, avec l'unique restriction que — je le dis dans le commentaire —, eux y croient tellement que ça doit forcément jouer un rôle de suggestion. C'est l'unique restriction, je suis trop cartésien par éducation scolaire, par mentalité pour y croire. J'ai toujours peur de ce monde-là. Je n'y mets pas volontiers le doigt.

Mario Bonenfant
CANADA

Le Japon, ça a été rapide. J'avais prévu de rester dix-sept jours, mais comme j'avais pris du retard dans toutes les étapes parce que j'aimais trop ce qui se passait, j'ai raccourci mon séjour japonais à cinq jours. D'abord, j'ai reçu un accueil assez peu chaleureux. Voyez-vous, dans la course, les candidats qui passent avant nous, ça nous fournit une carte de visite jolie ou pas très jolie, ça dépend de la façon dont ils se sont comportés, surtout avec les Japonais. C'est toujours le problème de la course, des gens prennent gentiment des contacts pour nous, mais nous, nous devons faire un choix dans tout ce qui s'offre. A un moment on est amené à dire : « Merci pour tout ce que vous avez entrepris, mais je tourne autre chose... » Seulement, parfois, on n'a pas le temps de s'excuser et ça laisse les gens sur une mauvaise impression.

C'est ce qui a dû arriver à François Dauteuil, l'an passé au Japon, il est parti un peu vite. Alors quand on m'a accueilli, on me l'a fait remarquer un peu vertement. Enfin, j'ai pu établir des contacts par l'ambassade et par la délégation du Québec.

On m'a parlé des « tatamis ». J'ai appris que ce sont des planches recouvertes d'une sorte de tapis d'herbes tressées, sur lesquelles se déroulent tous les actes de la vie quotidienne. Ça se fait sur mesure, en fonction de la taille des pièces, qui est calculée d'ailleurs en nombre de « tatamis ».

Le lendemain, je vais voir un artisan qui en fabrique. J'avais lu le livre de la course de l'année précédente et j'avais adopté le truc de Pierre Maître : trouver à l'Alliance française un étudiant qui accepte de me servir de guide et surtout d'interprète.

Au Japon, c'est le gros problème, vous ne pouvez rien faire vous-même, il faut toujours passer par une personne. Avec lui, j'ai tourné le bonhomme en train de faire le tatami que je lui avais commandé. J'ai peut-être un peu trop joué au réalisateur, je lui demandais de refaire certains gestes pour la prise de vue. Il n'aimait pas ça.

Au Japon, il vaut mieux savoir ce que l'on va faire. Si vous voulez tourner un film sur le tatami, vous devez déjà tout savoir sur le sujet et travailler à coup sûr. Ce n'est pas le pays de l'improvisation.

J'avais les images de la fabrication mais le sujet n'était pas complet, il me fallait des scènes de la vie familiale pour montrer l'usage que l'on fait d'un tatami. Je les ai trouvées grâce à un homme rencontré dans un bar. Un coup de chance. Le gars est venu vers moi, il avait envie de rencontrer un étranger. C'était un professeur d'anglais. Quand je lui ai expliqué mon idée, que j'aimerais bien tourner des scènes de la vie familiale, il m'a fait comprendre que je serais le bienvenu chez lui. Là, vraiment, j'ai vu l'autre face du Japon. J'étais invité le soir à manger, je pouvais filmer pendant le repas. La maîtresse de maison était en kimono, il y avait toute la famille, je pouvais entrer là dans l'intimité des Japonais, ce qui est rarissime.

Le professeur avait invité quelques-uns de ses étudiants. Ils sont venus à huit heures, on a parlé du Canada. Eux qui se couchent normalement à dix heures, se sont couchés à deux heures du matin ! J'ai même joué du piano, ma passion, et dans la course, vous savez, on ne peut pas le faire souvent.

Jean-François Cuisine
FRANCE

La Guyane ! La Guyane et la Légion... La Guyane, j'avais envie d'y aller. Si on regarde bien dans l'histoire de la course, énormément de personnes sont passées dans ce pays et ont traité beaucoup de sujets. Moi, dès le départ, je voulais faire la Légion. Pour filmer un militaire quel qu'il soit, il faut une autorisation et ça remonte jusqu'au ministre ! Je suis arrivé avec une lettre du ministre de la Défense française, c'est grâce à ça que j'ai pu filmer.

Je ne voulais pas faire un film de propagande sur la Légion, je voulais simplement suivre une section. C'est-à-dire montrer ce qu'était la vie dans la Légion, pas seulement des gens au garde-à-vous. Au jury, on m'a accusé de m'être senti bien avec ces gens-là. C'est vrai, je me suis senti bien. D'abord, c'est la première fois qu'on est venu me chercher à l'aéroport. Ensuite, je suis arrivé, ils m'ont logé et sur la table de chevet, il y avait un bouquet de fleurs. Lorsque j'ai vu ce bouquet, j'ai imaginé le bon légionnaire, quatre-vingts kilos, un mètre quatre-vingts, cicatrices et tout, en train de disposer amoureusement des fleurs, sur ma table de chevet. Ce genre de petit détail, moi, ça me touche... comme le petit mot à côté qui disait : « Nous connaissons la course autour du monde, nous sommes très admiratifs de ce que vous faites, nous espérons que vous vous sentirez bien ici, comme chez vous ! » Eh bien, il n'y a pas beaucoup d'endroits où l'on vous dit ça. On peut dire : « Ils ont essayé de te récupérer. » Je ne sais pas, mais à aucun moment on m'a demandé de faire de la propagande. Quand je posais des questions du style : « Vous avez des désertions à la Légion ? », on me répondait : « Oui, on a des désertions. — Combien ? » On m'a donné les chiffres exacts. On m'a dit : « L'année dernière, il y en a six qui sont partis. Sur les six, il y en a un qui s'est noyé, et on ne sait pas où sont passés les cinq autres. On sait qu'ils sont partis. On les a repérés jusqu'à un certain point, mais bon, ils ont déserté. »

Une des idées du film aussi qui me paraissait être une idée vraiment course, une idée amusante, c'était de suivre un Suisse, un Belge, un Cana-

125

dien et le chef de section, un Français. Ça aussi on me l'a reproché. De toute
façon, je crois que ce qu'on m'a reproché, c'est le sujet lui-même plus que
son traitement. N'importe quoi que j'aurais pu dire, on me l'aurait reproché. On m'a reproché d'avoir dit : « De toute façon, je n'aurais pas donné
ma place pour tout l'or du monde. » Cette phrase, je l'ai prononcée parce
que j'ai passé cinq jours dans la jungle. Ce n'était pas facile, je transportais
du matériel, sous la pluie, il fallait faire attention à longueur de temps. Je
transportais, en plus, mon hamac et tout ce qu'il faut pour vivre. J'ai été
bien dans la jungle, bien avec ces légionnaires. Je n'ai pas l'impression
d'avoir fait un film de propagande. Je pensais que les gens allaient s'en
rendre compte.

Anne-Christine Leroux
FRANCE

J'ai aimé l'Australie. Il y a une telle énergie qui se dégage des gens, une sorte
de bonheur. J'ai cherché un thème tout en me disant : « Je me suis plantée
en Malaisie, je me donne une semaine où je ne filme pas, mais je vais
chercher un bon sujet. »

J'ai essayé la voiture solaire, j'ai essayé la sécheresse, je suis même partie
tout un week-end avec des fermiers, mais je n'ai pas réussi à avoir d'images
qui me parlaient véritablement. Puis je suis tombée sur cette communauté
de hare Krishna, oui, vous faites la moue, mais moi ça m'a vraiment inté-
ressée. Dans mon entourage, en y réfléchissant, on ne les connaît pas, on les
voit de l'extérieur et j'avais l'impression que rien n'avait été fait sur les hare
Krishna. Je suis partie dans cette ferme ; une oasis qui contrastait avec une
Australie écrasée par la chaleur, complètement desséchée.

Je n'ai pas vraiment établi de contact avec ces gens parce qu'ils se sont
rendu compte que je ne croyais pas à leur philosophie. Ils m'ont montré
comment ils vivaient, c'est tout. Seulement à la fin, quand j'ai parlé avec un
vacher, un ancien surfeur, qui avait des tatouages plein les bras, j'ai commencé à percevoir quelque chose de sensible.

Ça faisait vraiment drôle de le trouver en prêtre, il avait vraiment l'âme
d'un enfant, cet homme. Il m'a parlé avec des mots d'une grande pureté, il
était touchant. Mais ça, je n'ai pas pu le traduire dans le film. Ma caméra
me jouait des tours. L'indicateur du son ne réagissait plus. J'ai réalisé que
quelque chose ne marchait pas. C'est après l'avoir envoyé à Paris qu'on m'a
dit : « Ton objectif est complètement décalé, ce qui explique les images
sombres. »

J'ai été un peu soulagée, je me suis sentie moins coupable. Mais la
caméra, ça n'explique pas tout. Je crois qu'il y a eu un moment, surtout
après l'Asie, où j'avais vraiment emmagasiné une foule de choses et d'idées

complètement nouvelles, où j'ai eu envie de dire : « Stop, arrêtez, j'ai envie de réfléchir, envie d'assimiler tout ça. » J'ai éprouvé une fatigue qui n'était pas physique — j'avais repris du poil de la bête en Australie —, mais intellectuelle. Je me sentais sèche, au point que chez les hare Krishna, je n'ai pas été capable de traduire tout ce que j'aurais voulu parce que je ne ressentais pas les choses aussi profondément qu'avant.

19e SEMAINE DE COURSE

STATIONS	TÉLÉ-GLOBE-TROTTERS	REPORTAGES	ACQUIT	JURY A2	JURY SRC	JURY RTL	JURY SSR	TOTAL SEMAINE	TOTAL	NOMBRE DE REPORTAGES	MOYENNE PAR REPORTAGE	PLACE AU CLASSEMENT ESTIMÉ
RTL	A. BRUNARD	«Cages» (Inde)	1 134	27	31	–	28	86	1 220	15	81,3	1er
SRC	M. BONENFANT	Repos	1 089	–	–	–	–	–	1 089	14	77,7	2e
SSR	R. GUILLET	«Mort au diable» (Cameroun)	1 058	25	28	25	–	78	1 136	15	75,7	3e
RTL	M. de HOLLOGNE	«Mœurs africo-parigots»	984	21	23	–	24	68	1 052	14	75,1	4e
A2	J.-F. CUISINE	Repos	1 037	–	–	–	–	–	1 037	14	74	5e
A2	A.-C. LEROUX	«La Vienne sud-africaine»	1 033	–	26	23	26	75	1 108	15	73,8	6e
SRC	G. AMAR	«Mexico Platz» (Autriche)	992	21	–	25	21	67	1 059	15	70,6	7e
SSR	Y. GODEL	«Prospectives» (Paris)	874	22	28	26	–	76	950	14	67,8	8e

Georges Amar
CANADA

Quand je suis arrivé au Kenya, je savais ce que je voulais faire. J'étais au courant d'un projet agricole sur les euphorbes. Les euphorbes, ce sont des plantes miracles. J'avais lu plusieurs articles là-dessus. J'ai été voir directement l'ambassade de Belgique car ce sont les Belges qui sont en coopération avec le Kenya pour ce projet. Ils ont été très gentils, ils m'ont tout de suite mis en contact avec leurs spécialistes.

Dès le lendemain, j'étais sur le lac Baringo. Un endroit fantastique, mais envahi par des moustiques incroyables, des gros, ceux de la malaria, de vrais hélicoptères, faisant un bruit terrible. Moi, ça me faisait peur ces moustiques-là. Au Kenya, le soir, on entend aussi les hippopotames et un tas d'autres bêtes. On m'avait averti : « Ferme bien tes portes, parce que tu risques de retrouver un lion sur ta descente de lit ! »

Tout ça n'était pas désagréable, c'était excitant, mais je me sentais un peu perdu dans ce Kenya ; ça faisait très longtemps que j'étais dans les pays chauds, c'est bête à dire, mais le froid commençait à me manquer. J'avais envie de goûter un peu de fraîcheur, de mettre un pull-over, un petit manteau, il y a un certain plaisir à cela, voilà quinze ans que j'habite au Canada et je me suis habitué à ces choses-là. La chaleur m'indisposait, je transpirais tout le temps...

Revenons à l'euphorbe... Le film a paru convaincant, mais j'aurais pu aller plus loin ; j'aurais pu avoir une interview du ministre de l'Agriculture, un Blanc, un Kenyan né de parents britanniques. Il avait sûrement des choses intéressantes à dire. J'avais rendez-vous avec lui, j'aurais pu approfondir beaucoup plus le film, mais je ne supportais pas ma place au classement ; je savais que tout était joué, j'étais à cinquante ou soixante points au-dessous du candidat qui me précédait, c'était fini, la conviction n'y était plus. Je n'en pouvais plus, je crois que j'ai éclaté cette semaine-là. Ce n'était pas méchant, mais il fallait que je me défoule. Je devais aller dans plusieurs pays d'Afrique. Coup de tête, je lâche tout et j'arrive en Europe. Pour moi, à ce moment-là, la course s'est arrêtée.

A Vienne, je me suis beaucoup relâché. Je savais qu'il existait un petit centre de contrebande où les gens de l'Est viennent trafiquer, je m'y suis rendu. Les gens ne voulaient pas que je filme. Patiemment, je revenais tous les jours, j'essayais de leur parler, de leur être sympathique, on a bu des petits coups ensemble, une boisson forte qui se rapproche de l'alcool à brûler. On était complètement ronds, c'était la seule façon d'avoir une complicité. Ces gens qui viennent là sont des Hongrois, des Tchèques, des gens très vivants. De jour en jour, ils ont fini par m'accepter, ils m'ont laissé entrer à l'intérieur des boutiques. Ils ont été d'accord pour que je les filme, mais il n'était pas question pour eux de parler. Ça a donné ce que ça a donné... un film avec des images mais aucun son synchro.

J'étais sur une autre piste, celle des Nations Unies. A Vienne, il y a un centre de narcotiques, où on reçoit des extraits de drogue qui ont été saisis par toutes les polices du monde. Des chimistes les étudient afin d'aider les policiers à retrouver les filières. Un sujet qui me semblait intéressant à filmer. C'était un journaliste de Sygma qui m'en avait parlé. Il m'avait dit : « Il n'y a pas de problème, moi j'ai pris des photos, tu vas pouvoir filmer. » Manque de chance, le directeur avait changé. Et la nouvelle directrice — une Québécoise, pourtant ! — n'a rien voulu savoir. Rien. Il n'était pas question que l'on filme le centre de narcotiques. J'ai dit : « Mais c'est connu, il y a un photographe qui a déjà pris une série de photos. — Non, non, non ! Un drogué peut très bien voir votre film, venir ici, prendre en otage le gardien pour avoir tous ces flacons d'héroïne, vous ne vous rendez pas compte ! Carlos, le fameux terroriste, est venu ici, il y a trois ans, il a pris en otage les membres de l'O.P.E.P. Vous imaginez les problèmes que ça peut faire... » Alors j'ai dit : « Madame, vous allez trop loin, on s'arrête là, vous dépassez les limites, il faut que je respecte votre point de vue, au revoir. » C'est dommage, parce que j'avais là un petit sujet en or. Demain, ce sera Paris.

Alain Brunard
BELGIQUE

Delhi. C'est la première fois que je venais en Inde, j'étais très malheureux de quitter le Népal.

A Delhi, je rencontre un maximum de gens qui me parlent d'un tas de sujets, dont aucun ne me tente. Et puis un soir, je discute avec un chauffeur de rickshaw, vous savez ces petites voitures à trois roues. On m'avait déjà parlé de « Singsing girls », je ne savais pas exactement ce que c'était. Apparemment, lui ne l'ignorait pas, mais il n'osait pas me le dire, c'est quand même assez particulier. Je lui parle de ces Singsing girls et je lui demande de m'amener à l'endroit où ça se trouve. Il m'emmène dans un quartier horrible, un quartier où les gens dorment dehors, plein de fumées, de brume, et aux maisons complètement délabrées. On prend un escalier en colimaçon, sordide, on arrive dans une pièce où je vois vingt-cinq fillettes, assises l'une à côté de l'autre, maquillées incroyablement et qui attendaient, comme on dit, le client. Ça m'a fait un choc terrible quand j'ai vu ça. On m'a amené dans une petite pièce où se trouvait le maquereau, un type immense avec une énorme radio sur l'oreille et qui me demande : « Tu viens là pour faire l'amour ? », mais d'une façon si vulgaire... et ces petites filles qui attendaient là, c'était horrible. Le conducteur explique au bonhomme que je veux faire un film. Le type commence à s'énerver. Le conducteur : « Venez, il vaut mieux s'en aller maintenant », et on est partis en courant. Je tenais à faire un sujet là-dessus. Le lendemain, il me dit : « Je vais essayer de discuter avec quelqu'un que je connais vaguement et qui tient un endroit semblable. »

On s'arrange, le gars en question me réclame une assez forte somme d'argent. Mais on discute de tout ça avant que je filme, là est l'erreur. Dans ma naïveté, je lui ai donné ce qui pour moi représentait beaucoup d'argent, et il m'emmène dans un endroit, complètement différent du premier : une pièce avec deux filles l'une à côté de l'autre, ça ne voulait rien dire. Je me suis demandé ce que j'allais faire, il ne me restait plus que deux ou trois jours pour faire mon sujet. Je téléphone à Gilbert Nicoletta : « Je file à Bombay, je ne trouverais rien ici. »

A Bombay, j'avais eu une adresse, j'ai rencontré une fille qui m'a dit : « Tu n'as pas beaucoup de temps, tout ce que je peux faire, c'est te brancher sur un sujet sur le cinéma. Je connais des gens de cinéma qui t'accepteraient sur les plateaux. » J'étais pressé par le temps. J'avais peur de ne rien envoyer, j'ai accepté.

Cela a été un échec et j'étais assez déçu parce que je pensais que ça pouvait faire un bon film. J'ai vu les images depuis. J'ai compris. Effectivement les images sont complètement sombres... et puis, j'admets aussi que ce que raconte le réalisateur, ces comédiens indiens, ça peut n'avoir qu'un faible intérêt en Europe.

Mais il n'y a pas eu que cette expérience à Bombay. Cette même fille qui m'avait introduit dans le cinéma, était une parsi. La caste des parsis expose ses morts pour les faire manger par les vautours. C'est une chose très curieuse à Bombay : les tours du silence. Quand elle m'a expliqué ça, j'étais emballé, je lui ai dit : « Tu es parsi, tu vas pouvoir me faire entrer dans les tours du silence. » Elle a tout fait pour m'aider, mais impossible, c'est un rite sacré, pas question de laisser faire des images là-dessus.

Alors elle m'a dit : « Si tu veux, j'ai un sujet sur les cages. » Je savais qu'on avait déjà fait un sujet sur ce thème dans la course, sur le quartier où, dans les maisons, des milliers de prostituées sont exhibées et attendent derrière des grilles. J'ai pensé : « Si on l'a déjà fait, ça n'a pas d'importance, ce qui est important c'est que je le réussisse. » D'abord elle m'emmène dans le quartier, j'étais sidéré, estomaqué, j'avais mal à l'intérieur. Je n'avais qu'une envie, fuir. C'est monstrueux, ces petites filles entre dix et quinze ans, derrière des barreaux, toute la journée !

A un moment, j'ai fait mine de sortir ma caméra, déjà il y avait des gens autour de moi qui n'étaient pas d'accord. La fille m'a dit : « Ce n'est pas grave, on va aller au commissariat de police. » Là, je rencontre l'inspecteur principal à qui j'explique : « Voilà, j'aimerais bien filmer la rue de la prostitution. » Il me répond : « Monsieur, on ne peut pas filmer... c'est une mauvaise image de l'Inde. » Alors, je propose : « Si je vous donnais cent roupies par personne ? » C'était une idée de la fille, sinon moi, je ne me le serais jamais permis. « Propose cent roupies par policier qui te protègeront », m'avait-elle conseillé. Il me dit : « Deux cents. — Bon, deux cents, d'accord. » Alors là, incroyable ! Dans le commissariat, tout le monde attendait sa paye. Et je donnais deux cents roupies à chaque policier qui venait avec moi.

Huit policiers m'ont protégé pendant que je filmais, les gens criaient, je n'aurais rien pu faire seul. Il faut dire qu'ils sont tous corrompus jusqu'au cou. Il y a des flics en permanence dans la rue, le client entre dans la petite pièce, il ressort une fois que c'est terminé, cinq minutes plus tard, et le flic l'attend à la sortie pour lui demander de l'argent. Ça, je vous assure que je l'ai vu. Je l'ai vu à Delhi et je l'ai vu également à Bombay.

Enfin, l'atmosphère qui régnait dans cette rue quand je suis arrivé, entouré par huit policiers, c'est difficile à décrire. Les maquerelles sur le pas des portes, criaient : « Foutez le camp ! » Tout ça en hindou. Les flics avaient des bâtons longs d'un mètre cinquante environ et dès que quelqu'un approchait « Pan » ! ils tapaient dessus. Des gens jetaient des pierres, les flics tapaient... une atmosphère comme ça, je n'ai jamais vu, incroyable ! Moi, je filmais tout ce que je pouvais, en vitesse. A un moment, on le voit dans le film, je repère une fille et je dis aux policiers : « Je veux interviewer celle-là. » Alors ils avancent. La traductrice commence à poser la première question à cette fille. Alors une maquerelle sort de la cage et commence à crier, mais ce que vous avez vu dans le film n'est que le dixième de ce qu'elle a fait : elle s'est jetée sur la caméra, les flics l'ont emmenée. Au commissariat, elle est devenue toute gentille. Elle a passé la nuit en prison mais certainement, le lendemain, elle était de retour dans la rue chaude.

20ᵉ SEMAINE DE COURSE

	1	2	3	4	5	6	7	8
PLACE AU CLASSEMENT ESTIMÉ	1er	2e	3e	4e	5e	6e	7e	8e
MOYENNE PAR REPORTAGE	81,3	78,9	76,4	75,7	74,4	74,1	71,6	68,4
NOMBRE DE REPORTAGES	15	15	15	15	15	16	16	15
TOTAL	1 220	1 184	1 147	1 136	1 117	1 186	1 146	1 026
TOTAL SEMAINE	—	95	95	—	80	78	87	76
JURY SSR	—	34	33	—	26	31	31	—
JURY RTL	—	32	—	—	25	23	23	28
JURY SRC	—	—	32	—	29	24	—	15
JURY A2	—	29	30	—	—	—	33	33
ACQUIT	1 220	1 089	1 052	1 136	1 037	1 108	1 059	950
REPORTAGES	Repos	« 10 ans après la lumière » (Chine)	« De Washington à Reagan »	Repos	« Portrait d'un champion » (Californie)	« Les justiciers de la cité perdue » (Afrique du Sud)	« Une mémoire mal rangée » (Paris)	« East End » (Londres)
TÉLÉ-GLOBE-TROTTERS	A. BRUNARD	M. BONENFANT	M. de HOLLOGNE	R. GUILLET	J.-F. CUISINE	A.-C. LEROUX	G. AMAR	Y. GODEL
STATIONS	RTL	SRC	RTL	SSR	A2	A2	SRC	SSR

Jean-François Cuisine
FRANCE

A Los Angeles, le héros de mon film est un handicapé. Certains jurés ont trouvé qu'il y avait là une redite avec le sujet tourné à la frontière du Cambodge et de la Thaïlande. Je suis complètement d'accord avec cette critique. C'est vrai que j'ai repris le même chemin.

Je me suis dit : « De toute façon, le classement est suffisamment avancé, la première place est vraiment très difficile à atteindre, il y a peut-être mieux à faire pour les films, que penser aux points. » D'ailleurs, le film en Thaïlande n'était pas un film pour faire des points. J'ai été le premier étonné qu'il en ait obtenu. Pourquoi j'avais envie de faire le sujet de Los Angeles ? C'était le portrait d'un champion, de quelqu'un qui se bat. Je ne suis pas ému par un infirme qui mendie dans la rue ; mais un infirme qui se bat pour vivre, et pour vivre le plus normalement possible, je trouve qu'on doit le montrer.

La devise de Bradie Parks, ce champion de Los Angeles, c'est : « Un handicap est toujours aussi grand que vous le faites vous-même ». C'est-à-dire : Battez-vous. Vivez. Et c'est ce qu'il dit à la fin du film. Il dit : « Les médecins m'ont dit, quand j'étais à l'hôpital, que je ne tiendrais plus jamais debout, que je serais au mieux assis. Je me suis battu pour marcher avec des béquilles, mais pour marcher. » Bradie était un sportif, mais un sportif moyen. Et il est devenu champion au tennis à cause de ce handicap, parce qu'il s'est battu. J'ai fait un match contre lui, je n'ai pas vu une seule balle. Je me suis fait battre à plate couture : six-zéro. Il était dans sa chaise roulante et moi j'avais mes deux jambes. Donc, on peut vivre vraiment complètement avec ça, et ça il faut le dire. J'avais envie de faire ce film. Le personnage a été vraiment tellement gentil. C'est un film que j'aime.

A San Francisco, je réalise l'avant-dernier film de la course sur deux garçons qui vivent ensemble. On a pu s'en étonner. Mais San Francisco, c'est une ville où il y a cent quatre-vingt mille homosexuels sur une population de six cents mille habitants. Arriver à San Francisco et ne pas voir les homosexuels c'est venir à Paris et ne pas voir la tour Eiffel, presque.

Ça s'inscrit, je crois, en cette fin de course dans le thème des gens ordinaires. A la limite, il y a eu le film sur la Légion aussi qui pourrait s'appeler « les gens ordinaires ». Les légionnaires sont des gens un peu à part, mais ce sont des hommes aussi, et il ne faut ni les admirer ni les mépriser. Quelqu'un qui est dans une chaise roulante, c'est quelqu'un qui vit comme nous et qui, même, parfois, est plus fort que nous. Ces deux hommes de San Francisco, ce ne sont ni des fous ni des pervers. Ce sont des gens qui vivent ensemble depuis déjà plus de trois ans, qui ont l'air parfaitement heureux et qui travaillent, qui sont productifs, qui ne sont pas drogués. Je crois qu'il y a beaucoup de gens aux États-Unis et même de par le monde qui sont beaucoup moins respectables que ces gens-là. Pourtant, les homosexuels, on les montre du doigt. Eh bien, j'ai voulu montrer que eux aussi étaient des gens parfaitement ordinaires. J'ai eu vraiment un bon contact avec ces gens-là.

Anne-Christine Leroux
FRANCE

L'Afrique du Sud, c'était une découverte, on m'en avait beaucoup parlé, on m'avait parlé de l'apartheid, mais je crois que, tant qu'on n'a pas vécu la chose, on ne peut pas comprendre. Il faut replacer ça dans un contexte sud-africain et probablement la critique que je ferais sur tout le système de l'apartheid sera beaucoup moins dure, maintenant que j'ai vu et que je l'ai vécu moi-même, que tout ce qu'on m'avait dit avant, toutes les idées que j'avais en arrivant.

Pendant tout le temps de la course, j'ai essayé de m'ouvrir et de parler avec les gens, avec des résultats toujours positifs. J'ai toujours été contente parce qu'on passe une étape, on passe de l'autre côté, comme pour la civilisation du mil, on oublie sa vérité à soi pour écouter celle des autres et il y a des tas de choses que l'on perçoit et que l'on comprend, alors que si on reste sur sa position, bien évidemment, on se ferme et on ne saisit rien.

Le jour même de mon arrivée à Johannesburg, deux heures plus tard — j'avais laissé mes valises chez des gens —, j'avais pris l'avion direction George, une petite ville dans le sud. J'y suis arrivée tard le soir et c'est là où j'ai pris vraiment le premier contact. On m'avait dit : « L'Afrique du Sud ce n'est pas l'Afrique. » C'est faux ! George c'est l'Afrique. On le sent. Il n'y a pas l'odeur de l'Afrique, cette odeur équatoriale de plantes en putréfaction, mais il y a les gens, leur façon d'être, leur façon de marcher, c'est l'Afrique. Dans la rue, j'étais pratiquement la seule Blanche. Ensuite, je suis partie filmer les fermes d'autruches et là, ce n'était plus l'Afrique du tout, là vraiment je suis repassée dans le monde des Blancs. Les fermes d'autruches, c'est le seul film où j'ai menti, enfin, où j'ai exagéré.

On entraîne bien les gens à monter sur les autruches, mais ils ne reviennent pas comme dans une école d'équitation, régulièrement, pour apprendre. Il y avait effectivement un tiercé d'autruches, mais ce truc a été supprimé par la S.P.A. Finalement, c'est un film surfait, un peu artificiel. Je n'y croyais pas, ça me paraissait creux, il n'y avait que de l'image et aucune réflexion personnelle.

Remarquez, ces autruches elles existent bien et on peut monter dessus ! J'ai essayé et je peux vous dire que j'ai très vite été convaincue qu'elles étaient réelles ! Sitôt lâchée, mon autruche s'est lancée dans une sarabande effrénée de bonds, de virages sur l'aile ! Elle s'arrêtait brusquement et repartait aussi sec ! Elle a fini par me larguer, tête la première, dans les gradins où s'étaient réfugiés les touristes !

En Afrique du Sud, il y a eu un autre sujet. Celui-là, je l'ai énormément aimé parce qu'au point de vue expérience humaine, c'était fantastique.

« Les Justiciers de la cité perdue », ça se passait à Soweto, la ville ghetto dans laquelle tous les Noirs de Johannesburg ou presque se retrouvent. J'y suis allée grâce à un Noir que j'avais rencontré à la nouvelle Alliance française. Avec lui, j'ai pu aller filmer au cœur de la cité. Un peu comme à Douala, j'ai ressenti une agressivité pendant un moment. Une éternité ! Je me suis même fait menacer avec un couteau. J'ai senti que l'on était sur une crête, on pouvait basculer soit d'un côté, soit de l'autre. Ça pouvait tourner, ou très bien, ou très mal. Et puis le type a éclaté de rire. Je n'ai pas eu peur et pourtant les gens étaient au début franchement hostiles, mais je les ai pris naturellement, j'ai fait semblant de ne pas voir leur agressivité, comme si elle n'avait — et c'était vrai — aucune raison d'exister. Finalement, même avec le type qui m'avait menacée, on a parlé, il m'a montré comment il sculptait le bois, comment il avait décoré son couteau. Là encore c'était le passage de l'autre côté, du côté de l'autre, c'est là que la communication est possible, on pénètre son monde et on devient tout proche. Les gens m'ont acceptée finalement, avec ma caméra, avec ce que je venais faire. J'aurais dû tourner davantage, c'était évident. La vie des gens, on la voit, dans le film, mais de façon trop rapide. C'est de ma faute, je le regrette parce qu'il y avait une vie, une couleur, les gosses qui jouaient dans la rue, ces adolescents qui n'ont rien à faire, qui parlent, qui se montrent leurs armes, leurs couteaux, et ces femmes, la façon dont elles vivent, les gens entassés dans ces petites maisons, dix familles dans une maison de trois pièces, tout ça, c'est Soweto. C'était une expérience unique d'être acceptée comme ça et je n'ai même pas eu le réflexe de vous ramener des images ! Je vivais tellement à plein que j'ai oublié !

J'ai fini la course par le Rwanda et là, par un camp de réfugiés. Les journalistes n'avaient pas le droit d'aller le filmer. C'étaient des réfugiés chassés de l'Ouganda. J'ai rencontré quelqu'un du « Catholic Relief », un type qui s'occupe du comité pour les réfugiés dans le monde et il m'a envoyée au sud du lac Nasho.

C'est là que le camp définitif devait être établi, il n'y avait encore rien d'organisé, pas de militaires, pas de police, donc il devait être possible que je tourne quelque chose. Alors que dans les autres camps, celui de Gabiro notamment, où étaient « stockés », c'est le cas de le dire, les émigrés en attente, c'était impossible de filmer, il y avait des barrières, l'armée, la Croix-Rouge, c'était complètement fermé. En fait, le camion dans lequel on m'avait flanquée, a pris, pour une cause inconnue, et sans évidemment que je le sache, le chemin de Gabiro, là où il ne fallait pas aller. C'est là, qu'entrée en fraude sans le savoir, j'ai vécu après une journée de tournage la dernière aventure de la course. Au milieu de la nuit, dans la tente, j'entends un bruits de galoches. Trois types, trois militaires, me sortent du lit. Il a fallu que je prenne toutes mes affaires et ils m'ont emmené à leur Q.G. Il y avait là une foule de soldats complètement ivres ; j'ai passé deux heures assise sur une petite barre de bois, les phares d'un camion en pleine figure, avec ces soldats qui me posaient une foule de questions. Ils ne savaient plus très bien lesquelles il fallait me poser. Ils ont commencé par être très agressifs. C'est très curieux, là encore, je n'ai pas eu peur ! Il y avait une partie de moi-même, presque inconsciente, qui répondait, une autre partie, un peu en retrait celle-là, qui assistait à la scène, jaugeait, observait, enregistrait et analysait les expressions des visages, les mouvements dans l'espace, les personnalités des gens en présence. J'avais l'impression de lire un livre, j'étais très confiante, je ne pensais pas qu'il puisse m'arriver quelque chose. D'agressifs, ils ont commencé à devenir très tendres, à me prendre par la taille, à m'emmener vers une hutte en m'expliquant gentiment que si je faisais mes preuves pendant la nuit, il ne m'arriverait rien. Alors, j'ai parlé, parlé, j'ai dit non, je suis revenue vers la barre, j'étais sortie des rayons des phares, ce qui fait que j'étais un peu dans l'ombre et non plus en position d'accusée, comme avant. J'ai parlé avec eux, parlé, parlé. Je ne peux pas vous dire ce que je leur ai raconté, mais je sais qu'on a fini par évoquer leur vie au camp. Finalement, ils m'ont raccompagnée à ma tente, tout bêtement, et les choses en sont restées là. Dès cinq heures du matin, je suis repartie. J'étais déjà suffisamment contente de ramener les bobines que j'avais. Je n'ai qu'un regret c'est que ça se soit terminé trop tôt. Je recommençais à sentir les sujets, j'aurais aimé que ça continue plus longtemps. Ou bien il aurait fallu que ça s'arrête au bout de quatre mois de course, ou bien il aurait fallu que ça dure un ou deux mois de plus.

21e SEMAINE DE COURSE

STATIONS	RTL	SRC	RTL	SSR	A2	A2	SRC	SRC
TÉLÉ-GLOBE-TROTTERS	A. BRUNARD	M. BONENFANT	M. de HOLLOGNE	R. GUILLET	J.-F. CUISINE	A.-C. LEROUX	G. AMAR	Y. GODEL
REPORTAGES	«Le vieil homme et le fleuve» (Égypte)	«Taïshan, la montagne sacrée» (Chine)	«De Washington à Moscou»	«Le souvenir des Mavres» (Espagne)	«Deux hommes» (U.S.A.)	Repos	Repos	«De corps» (Angleterre)
ACQUIT	1 220	1 184	1 147	1 136	1 117	1 186	1 146	1 026
JURY A2	38	36	36	26	–	–	–	31
JURY SRC	–	30	30	24	24	–	–	15
JURY RTL	32	–		24	24	–	–	28
JURY SSR	36	31	31	–	23	–	–	–
TOTAL SEMAINE	74	106	97	74	71	–	–	74
TOTAL	1 294	1 290	1 244	1 210	1 188	1 186	1 146	1 100
NOMBRE DE REPORTAGES	16	16	16	16	16	16	16	16
MOYENNE PAR REPORTAGE	80,8	80,6	77,7	75,6	74,2	74,1	71,6	68,7
PLACE AU CLASSEMENT ESTIMÉ	1er	2e	3e	4e	5e	6e	7e	8e

Marc de Hollogne

BELGIQUE

Alain Montesse travaillait à mon film sur la fabrication des dollars comme je revenais de Moscou. Nerveux, fatigué — ils travaillent comme des bêtes, lui et Benoît Jacques ! On ne le dira jamais assez, nos films ils les modèlent et leur donnent du corps presque autant que nous ! Tout passe par leurs doigts. Ce soir-là, cela allait être par son humeur ! La fin du film tournée en accéléré me tenait particulièrement à cœur. Et pour cause ! Dedans s'y trouvaient le président Reagan, McEnroe, et... un boulot dingue !

Seulement, Alain avait suivi les instructions de montage et je n'aimais plus. Fallait changer ! Enfin, fallait plutôt déguerpir car, croyez-moi, notre ami Montesse, lorsqu'il en a ras la cafetière et qu'il se met à rugir, ça tonne dans tout l'immeuble ! Son rire aussi ! Je lui dois beaucoup car, même si j'arrivais systématiquement à la dernière minute avec mon commentaire, une fois qu'il s'était bien égosillé... l'entente était totale.

Washington, en quelques mots, pas beaucoup car je râle d'avoir été pitoyable comme cela ! Enfin, pas moi, les jurés ! Comme pour les glaces du Chili, le fait d'être arrivé à pénétrer dans la Maison-Blanche est passé sous silence. Je n'ai pas voulu vendre ma marchandise comme un reportage. Si je filme des icebergs ou le président des États-Unis, c'est que forcément je me suis décarcassé à les foutres sur pellicules ! Mais non, alors que cela m'a demandé dix jours de télex, de crampes d'estomac, de patience...

Je me revois faire mes premiers pas dans l'enceinte de la Maison-Blanche. La faune journalistique américaine s'y trouvait. Dans dix minutes ! Quoi ? — Ben, le salon ovale ! — Quel salon ovale ? — D'où il débarque, cet emplumé ? Tous les matins, Reagan se fait filmer vingt secondes. Je m'active dans un coin de la pièce, je sors mon minuscule matériel. A côté du mato des pro... une plaisanterie. — French Television... Ce nom magique qui m'a si souvent aidé, cette fois, la trentaine de gars qui se trouvait là dans la salle de presse, ils l'ont trouvé désopilamment ridicule, la French Television ! Je suis surpris et pris de vitesse. Ils foncent tous comme des malades vers ce fameux salon ovale ! Sprint quotidien ! Je me retrouve à la queue. Dans quelques secondes je verrai *de visu* l'homme le plus puissant du monde. Start, c'est parti ! Je ne me retrouve pas idéalement placé. Et puis ? atroce... le silence le plus total ! Les mastodontes, les monstres de caméras de ces pros ne ronronnaient même pas. Reagan et son invité chuchotaient à peine, il mimait plus qu'autre chose, le cow-boy ! Moi, j'étais conscient que si j'appuyais sur le déclencheur de ma caméra, le plâtre et la foudre allaient me tomber dessus ! Les secondes filaient... pourtant je l'avais dans l'objectif ! Je tremble généralement d'attirer l'attention de tout le monde. Puis tant pis ! j'appuie ! Je ferme les yeux, on me tape sur l'oreille : « Fini de faire le malin ! » Aucune importance, les éclairages (qui sont les mêmes pour tous les cameramen) s'éteignent ! Reagan aurait eu un mouvement de sourcil, m'a répété l'attaché de presse. Tout cela pour deux, trois secondes ! « Heureusement, vers 15 h 30 il s'en ira à Camp David, vous le filmerez lorsqu'il grimpera dans son hélico. » A 14 heures j'étais déjà prêt. A 16 heures aussi ! Au même endroit. M. Reagan en réunion. A cette heure-là, il faisait déjà noir. Foutu ! Pas de bol ! Si c'est pas à devenir marteau ! Je vous passe pourquoi, mais j'ai dû refaire appel à Paris pour obtenir la permission de retourner dans la Maison-Blanche... quatre jours plus tard.

Mario Bonenfant
CANADA

Le vol Tokyo-Pékin est retardé de douze heures à cause du mauvais temps, on s'arrête pour la nuit à Changhaï.

De Tokyo, j'avais fait parvenir des télex, je savais qu'à Pékin il est indispensable de réserver à l'avance pour avoir un hôtel. A l'aéroport je m'attendais à des difficultés, des lenteurs, rien de tout cela.

C'est comme pour le visa, on dit que c'est très difficile à avoir. Moi, mon visa pour la Chine a été celui que j'ai eu le plus facilement. Une dame des relations internationales de Radio-Canada à Ottawa a appelé son contact à l'ambassade de Chine. La veille, il y avait eu le festival du film mondial à Montréal, la Chine y avait gagné un prix. Alors, la dame s'est introduite en disant : « Félicitations pour le prix, votre film est toujours le bienvenu à Radio-Canada... A propos, nous avons là un jeune qui aimerait aller dans votre pays, il participe à un concours international très prestigieux... etc. »

Les portes se sont ouvertes, d'autant que je savais ce que je voulais ; tourner à Harbin les sculptures sur glace. J'avais repéré le sujet dans un magazine lu chez Claude Morin, l'été dernier. Je savais à quelle période de l'année c'était. J'ai orienté la fin de mon trajet en fonction de cela.

Encore fallait-il pouvoir aller à Harbin. J'avais le billet, j'avais insisté pour le faire programmer par Air France à Paris, mais on ne voyage pas comme on veut à l'intérieur de la Chine. Il a fallu confirmer sur place, montrer des papiers de l'ambassade, des cachets... finalement, ils m'ont donné la réservation, je suis parti le lendemain vers le nord.

Il y a, à Harbin, un expert canadien, un bonhomme absolument extraordinaire. En fait, c'est un Français qui est devenu canadien. Il m'a invité chez lui, il était sidéré que je n'aie personne pour me suivre. Je ne m'étais pas préoccupé de trouver un accompagnateur. Ce Français-Québécois, super sympa, me dit : « Tu couches ici ce soir. » Oui, mais ça bousillait tout le système. La police est venue, toute surprise de voir un étranger comme ça. Le directeur de l'institution où il habitait — un genre de pensionnat —

était très embêté de me garder, il ne savait pas ce qu'il devait faire. Il n'y avait pas de supérieur pour lui dire « Oui, garde-le. »

Finalement, j'ai réussi à coucher là. Le lendemain on a eu la voiture de l'institution pour me promener à l'intérieur de Harbin. A ce moment-là, j'avais contracté une grippe qui me faisait éternuer tout le temps, c'est embarrassant pour tourner, vous cadrez et : « Atchoum ! » C'est commode !

Il faut dire qu'à Harbin, la moyenne de la température est de moins dix-neuf ! Ça fait des pointes à moins quarante. J'étais gelé. Heureusement à Pékin le correspondant du journal *le Monde* m'avait prêté sa veste doublée de fourrure, le grand manteau chinois.

Malgré les éternuements, le tournage fut facile : ça se passait à l'extérieur, je n'avais pas besoin de permission. Les Chinois sont comme ça, vous vous installez avec votre caméra, vous filmez, ils sont curieux, ils ne vont pas vous arrêter... A moins de filmer des bâtiments officiels, là, ils interviennent, mais jamais de tracasseries, d'interdictions stupides. J'ai pu filmer sur le bord de la rivière, les gens qui découpent la glace, qui la taillent au burin, et le parc où se trouvent toutes les sculptures. C'était fabuleusement beau. Après, je suis revenu à Pékin, j'ai passé deux jours au lit pour récupérer de ma grippe, on m'avait donné de la pénicilline à l'ambassade, j'étais vraiment un zombie. Ça s'est arrangé assez vite quand même.

Je suis reparti à la chasse aux sujets, j'ai dû pas mal empoisonner les gens de l'ambassade. Il fallait des autorisations pour tout à Pékin, de l'agence de tourisme, du service d'information. Et les correspondants étrangers ne m'ont guère aidé.

Souvent, ils sont là depuis des mois, des années... Ils se sont habitués au rythme de la Chine, et toi tu arrives en voulant tout, tout de suite. A Pékin, ça a été dur à ce niveau-là... il fallait leur tirer les vers du nez. C'est d'ailleurs comme ça que je leur ai tiré la Montagne Sacrée ! Cette montagne on en parle dans *In Fly Magazine,* le magazine qu'on a dans les avions. C'est une montagne extraordinaire entre Pékin et Changhaï : Taïshan, la « montagne du printemps ». Je pensais que c'était un sujet en or, de l'aventure, des images, une bonne recette. Il y en avait pour dix heures de train mais il faut réserver trois jours à l'avance quand on est un étranger. Moi, je n'avais plus le temps. A l'agence de tourisme, ils me disent : « Essayez à la gare ! » Là, au guichet, une armée de Chinois ! Je me faufile, on me renvoie à l'agence de tourisme. Impossible de s'en sortir. A un moment donné, je rencontre un Chinois, un étudiant en anglais. Il partait pour un congé de quinze jours, celui du Nouvel An chinois, il retournait vers le sud, chez lui.

Il me dit : « Aujourd'hui, tu ne peux pas prendre le train, c'est impossible. Si je vais à ton hôtel ce soir, demain on peut commencer à la première heure à te trouver une place pour le prochain train. »

A l'hôtel, ils m'ont fait signer parce que lui, Chinois, il ne pouvait pas entrer dans une chambre d'étranger sans une autorisation écrite. Il a passé la soirée avec moi, il a raffolé de la douche, évidemment. Le lendemain on repart, il avait trouvé une astuce ; il m'achète un ticket de quai. On s'est enfilé dans le train et on a payé le prix du trajet en route, au contrôleur. Mais j'étais debout. Et ça, ce n'est pas correct en Chine, qu'un étranger reste debout dans un train. On est arrivés le soir, à onze heures, il fallait trouver un hôtel. Je suis allé dans un hôtel chinois, chose que très peu d'étrangers peuvent se vanter d'avoir fait. D'abord on ne voulait pas me recevoir. Ça a pris une heure de discussion. Mon Chinois, ça lui faisait plaisir de se battre pour moi, je crois qu'il réalisait un rêve qu'il n'avait jamais osé espérer, passer une semaine avec un étranger !

Ils ont fini par accepter de m'héberger. Il faut avouer que c'est vraiment horrible ces hôtels-là. Il faut le voir pour le croire. Je comprends que les Chinois soient gênés de montrer cela à des étrangers. J'ai vu des étables au Québec mieux équipées pour les vaches que les hôtels pour les Chinois !

Pardonnez le détail, mais, par exemple, pour les toilettes... cela se passe dans un espèce de couloir. Vous posez cela par terre, puis un gars vient, avec un balai et il pousse le tout dans une sorte de caniveau. Pareil pour les lits. Je leur disais : « Laissez-moi voir la chambre, je vous dirai après si ça va. » Ils ont ramassé tout le meilleur de la literie dans la même chambre et on a couché là. Ça n'était pas chauffé, j'ai couché tout habillé avec des gilets de laine et mon manteau. Le lendemain ils m'ont dit : « Il ne faut pas que vous disiez ça aux autres. »

En effet, si ça s'était su qu'il y avait un étranger dans leur hôtel, ils auraient eu des problèmes. Mon Chinois me l'avait dit : « S'il t'arrive quelque chose et que tu es avec moi, je serai responsable. » Tous les Chinois, je crois, sont responsables de ta vie. Ça doit être écrit dans le livre rouge.

La montagne sacrée, on y était. Il fallait faire l'ascension, ce n'était pas gai. Six mille marches. Une fois rendus en haut, on se présente à l'auberge où on me demande : « Vous avez un papier pour voyager ici ? » C'est ainsi que j'ai appris que cet endroit-là n'était pas encore ouvert au tourisme. Je n'en avais pas, je leur ai laissé mon passeport, qui les a un peu impressionnés. De toute façon, ils ne pouvaient pas me renvoyer en bas parce que ça prend déjà la journée pour monter !

Le lendemain matin j'ai assisté aux fameux lever du soleil, c'est tout ce que les gens vont voir là-haut. Et puis j'ai suivi des travailleurs dans leur journée... je voulais les filmer parce que montrer des plans de montagne, même sacrée, ça aurait fait seulement un beau dépliant touristique.

J'ai orienté mon film sur la construction du dernier temple de la montagne sacrée, le funiculaire qui amènera plus tard les touristes.

Ils se sont laissé faire, les gars. Ils trouvaient ça drôle. Ce sont les contre-maîtres qu'il a fallu convaincre. En Chine, une fois passée la hiérarchie, tu n'as plus aucun problème, les gens sont sympathiques, même pour parler

dans le film. Je me disais : « Je ne pourrai jamais, ils ne vont rien dire. »
Mon Chinois s'est battu, il n'y a pas eu de problème. Pour le remercier,
mon Chinois, j'ai acheté un rouleau de pellicule et il s'est servi de mon
appareil photo, je posais partout, pour le remercier.

Le lendemain, on a descendu la montagne, il neigeait. On est allés à la
gare et il m'a mis dans le train pour Pékin. Lui, partait dans un autre sens, il
s'en allait à la maison.

Vraiment, il avait été formidable, sur place il a tout payé pour moi. Je
trouvais ça un peu exagéré, surtout que j'avais des exigences parfois, je
voulais des trucs qui coûtaient cher pour lui. Je voulais lui donner de
l'argent, mais il disait : « Ce n'est pas convenable, je ne fais pas ça pour des
sous. » Je savais pourtant qu'il en avait besoin. Enfin, en insistant je lui ai
donné vingt-cinq dollars. C'est beaucoup pour lui, une fortune.

En Inde, on m'avait prédit un choc culturel. Mais quand je suis arrivé à
New Delhi, je ne peux pas dire que j'ai vraiment vu l'Inde de Calcutta,
l'Inde des corps qui gisent dans la rue, New Delhi, c'est quand même une
belle ville.

En plus, pour aborder le problème de la dot des filles, un problème
familial, social, j'ai rencontré des gens très intelligents, très engagés aussi et
qui veulent qu'on parle d'une coutume qu'ils considèrent comme un fléau
pour leur pays, des gens qui, en trois minutes, te disent : « Je vois ce que tu
peux faire. ». Un avocat m'a dit : « C'est un sujet choc, il faut que tu le dises,
que tu montres intégralement cette plaie qui s'est enracinée dans
l'Inde. »

Alain Brunard
BELGIQUE

Les dernières images, c'est l'Irlande... pourquoi ? Normalement, dans mon
programme, je comptais faire deux films au Caire. Je n'en ai fait qu'un que
je n'ai pas trouvé extraordinaire. Il y avait beaucoup de gens qui m'attendaient au Caire. Et ça c'est la faute qu'on fait dans la course. Il ne faudrait
jamais aller dans des pays où on a déjà des contacts. Lorsqu'on arrive dans
un pays, une heure après, des contacts on peut en trouver dix. A mon avis,
il faut faire son voyage en fonction des pays où on a vraiment envie d'aller.
Et pas en fonction des rendez-vous possibles, je n'ai pas fait l'Afrique du
Sud, l'Indonésie, Sumatra, Java, Bornéo, des endroits où je rêvais d'aller
parce que je n'avais pas de contacts dans ces pays. Je le regrette.

Enfin, au Caire, j'en avais des contacts. Le Caire, c'est une ville de fous,
je n'ai pas trouvé d'autre sujet que celui du vieux pêcheur du Nil. Gilbert
au téléphone m'a dit : « Pourquoi ne partirais-tu pas en Irlande ? Personne
cette année n'a encore été en Irlande du Nord, à Belfast. »

Bon. Je transite par Paris, je prends un avion pour Londres et là, je rencontre une journaliste de la B.B.C. qui avait déjà fait un papier sur le sujet que j'ai traité à Belfast . la seule école mixte où soient réunis catholiques et protestants. Je pense que j'ai fait là mon film le plus « reportage » dans le sens journalistique du terme.

Je suis resté cinq jours, l'atmosphère de Belfast, c'est désolant. Les rues sont complètement désertes, les maisons écroulées du moins dans les quartiers où des émeutes se sont produites. Il n'y a que le vent et les rues vides, des grillages sur tous les magasins et on sent que les gens sont tendus. C'est vraiment impressionnant. Surtout lorsqu'on se dit que ça se passe en Europe, si près de nous. Je ne pouvais pas imaginer une seconde que c'était comme ça.

On a commencé à prendre des rendez-vous et j'ai eu une chance incroyable ; les parents de cette école se réunissaient, catholiques et protestants, ce qui n'était jamais arrivé en treize ans, depuis le début des troubles. Ces gens étaient ensemble, se parlaient, ils étaient ravis que je sois là. Ils étaient ravis de crier au monde entier qu'il y a des gens qui essaient de faire quelque chose pour se rapprocher les uns des autres.

Dans les interviews que j'ai faites avec les enfants, je leur demande s'ils choisissent leurs amis en fonction de leur religion. Ils m'expliquent que non : « Catholiques, protestants, on est tous les mêmes, on ne fait plus attention... Avant quand on était dans une école " normale ", donc ou protestante ou catholique, on se montrait du doigt : c'est un protestant, c'est un catholique, ça ne sera jamais mon ami, maintenant c'est terminé, pourvu qu'on joue ensemble, qu'on s'entende bien. »

C'était mon dernier film, un film d'espoir et je suis très content de l'avoir fait.

Jean-François Cuisine
FRANCE

L'Angleterre. Pourquoi ce dernier film en Angleterre ? C'est une longue histoire. Il ne devait pas être tourné là, il devait l'être soit à La Nouvelle-Orléans, soit en Floride, soit à New York. J'avais une bonne idée, je crois, je voulais faire un film sur l'école des arts de la représentation, l'école qui a inspiré le film et la série télévisée *Fame*. Ça me paraissait un bon sujet, et j'avais envie de faire un film musical. Quand je suis arrivé, le directeur de l'école m'a d'abord laissé parler, puis il m'a dit : « Est-ce que vous savez combien de gens, tous les mois, me demandent de tourner dans mon école ? » Là, j'ai eu une petite crampe à l'estomac, je me suis dit : « C'est mal parti ! » Il a ajouté : « J'ai six demandes par mois des plus grandes chaînes de télévision du monde entier. Alors, soit je transforme mon école en studio de télévision, soit je continue à faire une école. » J'ai insisté : « J'ai une toute petite caméra, je suis tout seul, ce n'est pas comme une grosse équipe professionnelle, je ne vous dérangerai pas, je me mettrai dans un coin de la salle ». Il m'a répondu : « Oui, mais à partir du moment où j'introduis une caméra dans cette école, tous mes élèves vont commencer à se comporter d'une manière différente et si je donne, une fois, l'autorisation à une personne, je ne pourrais plus la refuser aux autres. » J'ai eu beau continuer à discuter pendant deux heures avec lui, ça n'a rien changé. Alors, je suis parti sur d'autres sujets et puis tout a raté. A New York, on m'a parlé d'un groupe rock, dont le plus âgé des joueurs avait quinze ans. Ça m'a paru être un bon sujet aussi, mais quand j'ai réussi à retrouver leur trace, ils venaient de partir pour l'Angleterre. Donc je les ai suivis et, arrivé à Londres, impossible de les filmer. Là aussi, les obstructions, le refus. Je me suis retrouvé à Londres sans rien de précis.

En cherchant, je suis tombé sur ces femmes qui protestent contre le développement des armes nucléaires. Le thème me paraissait d'autant plus intéressant que souvent, dans la course, on m'avait reproché mes idées. Ou du moins celles qu'on croyait être les miennes. Quand un juré de la course dit : « Il se sent aussi bien dans la Légion qu'il pourrait se sentir bien avec Pinochet », je crois qu'il n'y a pas besoin de chercher plus loin... Surtout lorsqu'on ignore mes idées... C'est intéressant de les entendre exposées comme ça.

Le fait que ce soient des femmes montrait qu'il s'agissait d'un antimilitarisme absolument non violent, pacifiste. Quand je suis arrivé pour filmer, le premier contact n'a pas été très bon, et puis c'est en revenant, en restant et en acceptant de ne pas filmer tout de suite, que j'ai pu les entendre dire beaucoup de choses que, sans ces précautions, elles n'auraient pas dites.

A propos de ce reportage, il faut ajouter que j'étais resté quatre mois et demi dans des pays chauds, et que je suis arrivé en Angleterre sous la neige avec simplement deux ou trois chemises d'été... Quand j'ai pu voir ce que j'avais tourné, j'ai été vraiment étonné que les images ne soient pas trop bougées, je n'ai pas arrêté de trembler de froid pendant tout le temps où j'ai fait ce film.

Yves Godel
SUISSE

J'ai décidé de retourner en Europe afin d'être sur un terrain connu, je voulais « m'éclater », profiter de ces quatre dernières semaines.

Quatre derniers films pour le maximum au niveau de tout ce que je voulais faire, c'est-à-dire fantasmer... D'abord, il y a eu Paris. Il y a eu une semaine à Paris. C'était de nouveau un film sur l'esprit carré des gens, je le maintiens, tout ce qui est carré, en tout cas dans cette course, a plus de succès que ce qui ne l'est pas, ou à la limite, triangulaire ou totalement ovale ou difforme, d'où l'idée de faire un film sur les immeubles.

A Paris, en se baladant, on peut trouver des architectures plus contradictoires les unes que les autres. J'aurais voulu ne filmer que des immeubles moches, mais pas carrés. Je suis allé à la Défense et tous ces immeubles carrés m'ont inspiré terriblement.

Je me suis un petit peu planté dans ce que j'avais prévu de faire, je me suis un petit peu laissé prendre à mon propre jeu.

J'ai décidé de passer les trois dernières semaines à Londres, toujours avec ce fameux petit ange gardien qui me dit au creux de l'oreille : « Tu es le seul qui peut se le permettre... » Oui, trois semaines à Londres, c'est trois fois trop, mais je suis huitième, alors pourquoi pas ?

Une seule chose que je n'avais pas prévu : le froid. C'est un petit problème pratique mais quand il pleut, qu'il neige ou qu'il fait vraiment froid, c'est difficile de filmer.

Enfin, ça s'est bien passé.

22e SEMAINE DE COURSE

STATIONS	TÉLÉ-GLOBE-TROTTERS	REPORTAGES	ACQUIT	JURY A2	JURY SRC	JURY RTL	JURY SSR	TOTAL SEMAINE	TOTAL	NOMBRE DE REPORTAGES	MOYENNE PAR REPORTAGE	PLACE AU CLASSEMENT ESTIMÉ
RTL	A. BRUNARD	«Sous les décombres» (Irlande)	1 294	32	30	–	35	97	1 391	17	81,8	1er
SRC	M. BONENFANT	«Amour brûlant» (Inde)	1 290	30	–	31	35	96	1 386	17	81,5	2e
RTL	M. de HOLLOGNE	«Images interdites» (Paris)	1 244	36	38	–	33	107	1 351	17	79,4	3e
SSR	R. GUILLET	«Le dernier bistrot» (Ardèche, France)	1 210	28	29	33	–	90	1 300	17	76,4	4e
A2	J.-F. CUISINE	«Les gardiennes de la paix» (Angleterre)	1 188	–	32	29	28	89	1 277	17	75,1	5e
A2	A.-C. LEROUX	«Les prisonniers du temps perdu» (Rwanda)	1 186	–	28	26	28	72	1 268	17	74,4	6e
SRC	G. AMAR	«Voir Naples et finir»	1 146	31	–	27	28	86	1 232	17	72,4	7e
SSR	Y. GODEL	«Tant qu'on a la couleur» (Angleterre)	1 100	28	24	25	–	77	1 177	17	69,2	8e

Marc de Hollogne
BELGIQUE

Alors, vous l'entendez à présent le générique de fin ? Vous les entendez les dernières notes ? Profitez de ce qu'ils sont encore là pour les regarder une dernière fois... les petits minous ! Observez leur calme ! Photographiez-les avant qu'ils ne valsent au placard. Hier, des millions de francophones connaissaient leur nom, leur voix, leur style parfois. Demain, lorsque les « monsieur du cinéma » auront regagné leur bureau dans leur tour, demain ils fermeront les portes du métier ! Celles où tant d'illuminés viennent taper. Profitez d'être encore aujourd'hui ! Ils se sont secoué les tripes une dernière fois pour vous livrer leur dernier film. Ils ne comprennent pas ce qui leur est arrivé. Ils jouent le jeu. Mais sanglotent dans leur caboche. Ils voudraient rester immobiles, se statufier : Que les lumières du plateau ne s'éteignent pas... que le public ne s'évapore pas... Demain ils redeviendront des fourmis. Demain ils vont baigner dans les souvenirs. Cassés ! Écœurés ! Seuls !...

Non, vraiment... si vous me demandez si je repartirais... je ne vous le dis pas... je vous le hurle... NON ! ! ! !

Anne-Christine Leroux
FRANCE

Ah oui ! repartir ? Sûrement. Vous savez, c'est difficile d'être la « seule fille de la course ». Les gens sont misogynes et les jurés autant que les autres. Ce n'est pas qu'ils n'aiment pas les femmes, c'est plutôt que, plus ou moins consciemment, ils les jugent moins solides et objectives que les garçons. Elles font moins sérieux, leur jugement semble plus basé sur l'intuition, la sensibilité, que sur une réflexion cartésienne. Alors, quand il n'y a qu'une fille dans le lot, on a tendance à projeter sur elle toute cette image-cliché de la féminité.

Quand je regarde la mappemonde aujourd'hui, j'ai du mal à croire qu'il y a quelques semaines j'étais « là-bas ». Pendant la course, la notion de situation géographique n'existe pas. On ne réalise pas bien le changement de continent ou d'hémisphère. Quel que soit le pays, on va trop vite, pris que l'on est dans l'instant présent. Pas de souvenirs, trop de choses à penser pour s'embarrasser l'esprit. Ce sont comme des flashes que la mémoire enregistre et que, même maintenant, un mois après le retour, je suis toujours incapable d'analyser.

Je sais que j'ai emmagasiné une foule de choses, mais je ne sais pas encore très bien quoi, ni comment. J'ai en moi, quelque part, une foison d'impressions, de réflexions, une multitude de visages qui me parlent mais que je ne perçois encore que confusément. Ils attendent que l'heure soit venue pour eux de réapparaître, l'heure où je serai prête, capable enfin de revivre mon voyage...

Je ne pense pas avoir changé, mais il est certain que je vais entreprendre quelque chose de nouveau. Finalement, la course m'a permis de découvrir le métier dont je rêvais. Un métier qui n'emprisonne pas dans un monde de financiers, de bureaucrates, de médecins ou de politiciens. Un métier qui s'intéresse à tout, qui permet de rencontrer des tas de gens et des gens très différents chaque fois. Un métier d'initiative personnelle où l'aventure et la créativité ont aussi leur place.

Pour le moment, tout ce que je vois devant moi est un grand vide. Après six mois d'activité intense, je me retrouve brutalement sans rien. C'est un choc ! Mais je sais une chose : j'ai envie de repartir coûte que coûte ! J'ai encore des tas de choses à découvrir, des tas de choses à dire aussi. Il faut seulement que je trouve le moyen de le faire, je ne sais pas encore comment, mais je le ferai.

Georges Amar
CANADA

Les sujets que j'ai faits à Paris ont obtenu des points mais je soupçonne que ce sont les petits bonbons de la fin. Moi, j'aurais aimé avoir ces points au milieu, quand j'avais besoin d'encouragement. Au lieu de cela, on m'a descendu le moral. Il ne fallait pas faire ça au début. Il ne faut pas se leurrer, les deux premières semaines ont marché, puis après ça a été, si vous voulez, un matraquage continuel. Mes films ne méritaient pas 60... 65 ! C'est peut-être que la caméra au départ n'était pas forte. Ça manquait de gros plans, je ne m'approchais pas assez des gens...

En tout cas, il y a eu un malentendu, le Canada était très mécontent, je crois, pour la façon dont mes deux films du Pakistan ont été notés. Qu'est-ce que vous voulez, moi, le moral a cédé, c'est tout. Je n'ai pas été très fort moralement.

Enfin, je ne regrette pas du tout cette expérience, le classement, on ne se le rappellera plus dans deux ans. On me dira : « Tu as fait la course », on ne me dira pas : « Tu es arrivé septième. » Si c'était à refaire, avec les mêmes films, avec le même classement, avec les mêmes erreurs, je le referais.

Ce que ça m'a apporté ? Une expérience incroyable, des rencontres inattendues. J'ai pris un petit déjeuner avec Sharon, le ministre israélien, ce n'est pas que je l'admire mais il s'est trouvé qu'on était au même hôtel au Honduras... J'ai pris un avion dans lequel voyageait la princesse Caroline... Ce sont des moments étonnants.

Puis le fait de prendre un avion le lundi à deux heures du matin au mois de novembre, en sachant que l'année précédente, on était en train d'étudier dans un bureau à l'université, on ressent ça comme une chance inouïe ! Je me disais : « Je suis un privilégié. » Et savoir que l'on reprend l'avion tous les week-ends... Moi j'adore les odeurs d'aéroports, les odeurs d'avions, l'attente des bagages, ça ne m'a jamais ennuyé. Savoir qu'on va partir ailleurs, qu'on va découvrir quelque chose, ça n'a vraiment pas de prix.

Je crois que ça va avoir une influence très forte sur ma vie. A la fin de la course, l'inconvénient c'est qu'on a envie de faire plusieurs choses à la fois. Cette course, pour utiliser un mot qu'on emploie chaque année, c'est le tremplin. C'est le tremplin pour quelque chose d'autre, peut-être pour le journalisme. C'est une aventure qui m'a fait avancer intellectuellement, qui m'a permis de me remettre en question, c'est un voyage de l'incroyable.

Je ne crois pas que ç'a été comme un entracte. D'abord, ça m'a permis de lire beaucoup ; avant, ce n'était pas le cas. Les mathématiciens lisent rarement, ils sont trop plongés dans les chiffres. Je n'y retournerai plus en mathématiques, même si j'ai ma licence, je n'y retournerai plus parce que c'est complètement borné. La course, au contraire, ça ouvre des portes, ça m'a permis de rencontrer des gens, de parler avec eux, d'essayer de les comprendre. L'obligation de faire un film chaque semaine, c'est incroyable, ça demande un effort intellectuel très fort parce qu'il faut essayer de comprendre la situation en quatre, cinq jours, faire une synthèse et vendre la marchandise. Même si je l'ai mal vendue certaines fois, j'ai fait un travail, et ce travail est très enrichissant. Ça ne peut être que positif pour la suite.

Mon avenir ? Je crois que je le verrai mieux une fois à Montréal. Je sais que je peux avoir des contacts pour faire des documentaires. Ce ne sera pas forcément facile, il faudra cogner aux portes. Après tout, pour réussir la course, ce n'était pas facile non plus, il fallait dire qui on était, il fallait faire ses preuves. Eh bien, il faut continuer de la même manière, il faut savoir foncer. Je vais dire ce que j'ai fait, ce que j'aimerais faire et il y aura sûrement des gens pour m'aider. Il y en a toujours eu. Il y en aura encore. Il faut toujours croire à ça.

Yves Godel
SUISSE

J'ai appris énormément. Chacun de ceux qui ont fait cette course ont dû apprendre beaucoup sur eux-mêmes. Ça serait une psychothérapie à recommander à beaucoup de gens, la course autour du monde.

Ce que j'en ai retiré ? C'est d'essayer de développer au maximum sa personnalité, de nouveau en relation avec ce principe d'uniformité que je hais. Je pense qu'il faut profiter du fait évident que chacun est différent et essayer de développer sa différence au maximum.

C'est peut-être une espèce de découverte de la liberté que j'ai faite.

La course autour du monde c'est, par définition, quelque chose de pas tout à fait libre, mais je crois, qu'en fait, ça l'est beaucoup plus qu'il n'y paraît, ça dépend uniquement de la manière de la concevoir.

Alors, on me demande ce que je vais faire, maintenant. Ça peut paraître contradictoire, mais je suis intéressé par le monde de la publicité, où il y a des contraintes terribles. C'est très ambigu d'être libre là-dedans.

J'ai remarqué qu'il y a certains pays très forts en publicité. Les États-Unis mais aussi l'Angleterre. Les Anglais sont des photographes, c'est vraiment incroyable.

On dit : « C'est difficile de percer là-dedans, dans l'art. » Pourquoi ? parce que c'est personnel. Puis ça implique beaucoup de choses, je veux dire, les jalousies, « Lui il a fait ça, oui, je pourrais le faire aussi... »

On s'identifie toujours. Mais au lieu de s'identifier à d'autres qui font quelque chose, les gens devraient faire quelque chose eux-mêmes et puis s'étonner eux-mêmes.

Mario Bonenfant
CANADA

Pour vous parler de l'après-course, il faut que je vous parle de l'avant-course.

Avant, j'étais en première année d'études de cinéma et j'étais prêt à abandonner ; je me demandais si j'étais fait pour ce métier. La course a fonctionné et elle m'a donné, au cours des semaines, ce qui me manquait pour continuer le cinéma. Elle m'a donné un peu plus de confiance en moi. Je ne suis plus seulement le benjamin des cours de cinéma à Montréal, puisque je suis le benjamin de la course.

La course m'a donné une ouverture, je me verrais très bien, l'année prochaine, faire un film sur une légende chinoise. Elle m'a donné la possibilité d'être soumis à la critique de la part d'un public.

Elle m'a procuré, la course, un voyage extraordinaire, des découvertes, pays par pays ; il faut la voir au jour le jour parce que tout l'ensemble d'un coup ça nous jetterait à terre.

Et puis, il y a d'autres considérations, pratiques celles-là... Pour continuer dans le cinéma il faut des sous. Évidemment, mes parents m'ont toujours soutenu, même si le cinéma, comme métier, ils s'en méfient un peu. Avec la course, je leur ai donné confiance. Et puis la course nous donne des crédits universitaires. Au Canada, vous pouvez suivre les cours à temps complet ou à temps partiel à l'Université. Eh bien ! pendant la course, il y a un professeur qui a regardé mes films à la télé, à la fin de l'année il me donnera une note. Ça correspond finalement à un stage de formation à l'extérieur de l'Université. Et ça donne des crédits universitaires [1].

Je ne me fais pas d'illusions, il ne faut pas s'attendre à ce que les gens vous fassent des cadeaux à la sortie de la course. Moi, j'aimerais bien travailler. De Pékin, j'ai envoyé une carte à la station de télévision de Trois-Rivières. Je leur ai mis : « Je parie que vous n'avez jamais reçu une demande d'emploi de Pékin, ça me ferait plaisir de travailler cet été dans votre station de télévision locale. » Trois-Rivières, ce n'est pas Montréal, je ne serai pas plongé dans l'anonymat, grâce à la course j'y suis un petit peu connu.

Il faut garder le contact avec les gens pour qu'ils se souviennent de nous, parce que la course, c'est magnifique, mais si ça ne débouche pas sur autre chose, ça ne donne rien. Les gens oublient très vite.

Oui, pour cet été, ce sera mon plan : travailler et en même temps reprendre les études dans le cinéma avec plus de confort ; car, étudier, ça revient très cher. C'est cela qui m'avait fait peur aussi pour continuer les cours de cinéma. Je me disais : « Ce n'est pas ma place. » En effet, pour achever les études, vous devez faire un film par vous-même, donc en couvrir les frais. Sinon, par exemple, vous faites l'éclairage du film d'un autre. C'est très pédagogique, bien sûr, mais ça me tente de faire mon film.

Ajoutez à cela que je n'habite pas Montréal, qu'il faut donc trouver une chambre, payer un loyer, j'ai fait le compte, tout cela représente à peu près cinq mille dollars !

C'est ce qu'on gagne dans la course pour la deuxième place.

Bien sûr, ce n'est pas pour cela que j'ai fait la course mais si je gagnais cette bourse-là, ça aiderait ! Ça aiderait !

Alain Brunard
BELGIQUE

J'ai été très, très malheureux de rentrer.

Je disais au début de ce livre que j'ai eu une angoisse permanente tout au long de la course. Cette angoisse, elle ne s'estompait qu'à partir du moment où je remettais ma pochette au chef d'escale et qu'elle partait dans l'avion pour Paris. L'angoisse me reprenait cinq ou dix minutes après, parce que

---

1. N'y-a-t-il pas là une piste à explorer pour les facultés et les grandes écoles professionnelles des pays francophones d'Europe ?

tout le processus recommençait, il fallait reprendre des contacts, j'ai eu une peur continuelle de ne pas trouver le sujet. Tout à coup, je ne sais pas, je me sentais mal, mon cœur commençait à battre plus fort. Il faut dire que je suis très nerveux, un peu torturé. Et cette course n'a fait qu'amplifier mon angoisse, mais dix fois plus. Nerveusement, ça a été très difficile.

J'ai sans doute fait des progrès au niveau technique mais maintenant, vous m'envoyez en reportage, j'ai deux semaines pour le faire, je ne serais pas plus à l'aise parce que j'ai fait la course.

Vous allez penser qu'avec cette angoisse je devrais pousser un « ouf » au moment où je rentre. Justement non. Parce que cette course m'a appris à me donner une volonté que je n'avais pas et surtout le pouvoir d'aller vers les gens.

Je suis très introverti, je n'ai jamais été très « sociable », et là, j'ai dû faire des efforts sur moi-même. C'est la chose la plus importante que la course m'a apportée, le fait d'entrer en communication avec les gens.

Je vais vous dire pourquoi j'ai eu une impression amère en rentrant. J'avais une frousse bleue — j'ai d'ailleurs toujours une frousse bleue — de retomber dans le système auquel j'étais habitué avant de partir. Maintenant j'ai envie de bifurquer, j'ai envie de choisir une autre voie et j'ai une angoisse terrible de retrouver les gens. Je n'ai pas envie de décevoir ceux qui me connaissent, qui vont me poser des questions : « Comment ça s'est passé, etc. ? » Je sais que je suis incapable de l'expliquer quand bien même je le voudrais. Et j'ai très peur que les gens ne comprennent pas ma réaction, qu'ils s'imaginent que je les prends de haut, que j'ai pris la grosse tête. Ce n'est pas ça vraiment.

Comme on en a discuté avec Raphaël quand je l'ai rencontré à Tokyo, il y a des choses qu'on ne pourra jamais expliquer et que les gens ne pourront jamais comprendre même si on leur dit exactement comment ça s'est passé. Dans cette course, ce ne sont pas les choses spectaculaires qui sont importantes, ce sont les petites choses de la vie, ce sont des odeurs, des sourires, et ça, on ne peut pas l'expliquer.

Peut-être je me pose trop de questions. J'avais peur que les gens ne puissent pas me comprendre et j'ai demandé par téléphone à ma famille de ne pas venir me chercher à l'aéroport. J'ai préféré être seul. J'espère que ça va bien se passer, mais je ne veux plus retomber dans le système. Je parle du système de vie que je vivais avant la course, je vivotais, je ne faisais rien de très particulier. Maintenant j'ai trouvé une passion : la caméra. J'ai envie de me spécialiser, j'ai envie d'apprendre... La caméra, c'est vraiment un outil magique, une fois qu'on y prend goût, on ne peut plus s'en passer. C'est vraiment une drogue.

En Inde, toute cette misère que je voyais me rendait malade, mais une fois que je mettais l'œil à la caméra, c'était fini. Vous ne pensez plus à toute cette misère, vous ne pensez plus qu'à votre cadrage, vous ne pensez plus qu'à faire une bonne image. J'aurais pu filmer n'importe quoi. Ce n'est pas parce que je ne suis pas sensible, dès que j'enlevais la caméra, tout remontait, j'étais malade. C'est curieux une caméra, c'est vraiment magique. Alors j'ai envie maintenant de m'en servir pour regarder autre chose.

Je n'ai plus envie de faire du reportage. En fait, mon grand rêve, c'est de faire de la fiction... J'ai tracé quelques esquisses pour un scénario que j'ai envie de faire depuis toujours, qui est une autobiographie, ce qui s'est passé en moi pendant que j'étais jeune, dans mes relations avec mes parents. J'ai envie de faire des films de mon expérience humaine et familiale, j'ai des idées, mon grand rêve c'est de les réaliser mais je ne veux plus faire de reportage.

Si vous me posez la question : « Si c'était à refaire ? » je vous dirais « Je le referais mais pas dans les mêmes conditions. » C'est trop rapide comme ça, chaque fois, j'ai eu l'impression de ne pas avoir construit mon mur, vous comprenez ? Quelques briques n'y sont pas, c'est incomplet, j'ai l'impression de ne pas avoir construit en profondeur.

Jean-François Cuisine
FRANCE

Maintenant, la course est finie, on essaie d'imaginer le résultat chez chacun. Alors on nous demande : Ça va changer quelque chose à ta vie ou pas ?

Changer quelque chose à ma vie ! je crois que c'est déjà fait de toute façon. On ne sort pas indemne de ce genre de choses. Moi, maintenant, j'ai envie de travailler là-dedans. La course est finie, c'est fait, c'est le passé. Jusqu'à présent, je m'intéressais je crois, tout au cours de mon existence, beaucoup plus à mon passé qu'à mon avenir. Maintenant, beaucoup de gens disent : « Le meilleur moment de ma vie, c'était la course ». Ben moi, le meilleur moment de ma vie, c'est maintenant et j'espère que se sera aussi demain.

Demain, c'est trouver un emploi dans cette profession et plein d'idées. J'espère vraiment repartir en Thaïlande avant la fin du mois prochain pour faire un reportage pour lequel j'ai eu des contacts et puis d'autres projets...

La course, c'est un départ oui. Le retour à Paris c'est un nouveau départ, c'est bien mieux qu'une fin.

Raphaël Guillet
SUISSE

Le retour pour moi a été douloureux. Douloureux, parce que j'ai trouvé difficile de retrouver les lieux du départ. Pas les gens du départ qui me plaisent beaucoup, mais les lieux, parce que je me rends compte que c'est fini. Le goût que l'on prend à s'exprimer devant pas mal de gens, il ne faut pas le cacher, cela commence à nous plaire. Alors il est pénible de savoir que dans deux semaines on va nous retirer la parole. Ce sera à nous, je pense, individuellement par la suite, d'essayer de la retrouver d'une manière ou d'une autre. Le fait de pouvoir faire quelque chose dans le domaine un peu artistique qui soit écouté par un grand nombre de personnes est satisfaisant.

Donc c'est dur d'arriver à Paris et de me rendre compte que maintenant, il va falloir de nouveau se battre pour pouvoir s'exprimer, ce qui, d'ailleurs, est un bien.

Cela dit, dans le bistrot où j'étais hier soir, il y a eu, les deux ou trois verres de vin rouge aidant, comme un retour en arrière, à dix mille images/seconde, sur tout un nombre de séquences qui, reliées, feraient le film de la course.

J'ai par exemple un souvenir de ce type à New York qui travaille sur les gratte-ciel et qui me disait avoir la trouille de prendre l'avion ; cette chambre d'hôtel à Montevideo où j'étais au douzième étage avec le moral en dessous du niveau de la mer. Je me souviens très bien aussi d'un petit café au Japon où j'ai passé des matinées avec Yves Godel, un café qui respirait une espèce de douceur de vivre assez extraordinaire, où il fallait une demi-heure pour faire le café parce qu'on le passait dans quinze verres différents avec une élégance, c'était très émouvant. Je pense à ma nuit blanche de Noël à Tokyo et je m'en souviendrai encore dans pas mal de Noëls. Mon Nouvel An à Bangkok, seul dans une chambre d'hôtel à lire *les Ritals*, de Cavanna, j'ai ri de onze heures à une heure du matin, à minuit pile, un coup de téléphone de Jacques Huwiler « Salut vieux... à propos bonne année ! »

Encore une image qui a défilé hier soir, le *Métropolitain* à Bangkok, où j'ai discuté avec M. Ségui. Le *Métropolitain*, c'est un peu l'endroit où se retrouvent tous les reporters ou les écrivains du monde francophone. C'est un Français qui tient ce *Métropolitain*, M. Ségui. Il m'a juré qu'il allait casser la gueule à un bon nombre de journalistes dont Jean Edern Hallier, où qu'il soit, parce qu'il avait complètement modifié une interview de lui et montré Bangkok sous un jour « cliché », pas flatteur. *Métropolitain*, une espèce de petite enclave parisienne à Bangkok, elle m'a permis de me prendre pour un grand reporter puisque tous y passent. C'était marrant.

Très fort également, dans ma tête, le souvenir de Mar del Plata (où je n'ai finalement pas tourné). Mar del Plata, c'est un peu Nice ou Monaco, pour la

France, Valparaiso pour le Chili. J'ai découvert cette ville alors qu'elle était noyée dans la brume. Le vent, les mouettes et la brume, c'est le cocktail le plus rafraîchissant que je connaisse. Autre cité balnéaire : Rio, où j'ai passé trois jours (sans tourner) à attendre mon argent (que l'on touche tous les 14 jours). Trois jours sur la fameuse plage de Copacabana. Après les mariages et les travaux, les bains forcés.

Je me suis aussi repassé un film plus récent, ce qui s'est passé en Espagne où j'étais très serein. Et enfin cette dernière semaine en Ardèche où j'ai vu se pointer, à Valence (France), les deux copains qui m'ont rejoint pour la dernière semaine de la course. J'ai tourné dans un petit village, Vogüé, un film, un portrait de deux petites vieilles, les sœurs Testud, deux véritables personnages de ce coin de France qui en compte pas mal. Tenancières d'un buffet de gare qui ne connaît plus que quelques clients par semaine ou par mois depuis que les trains ne passent plus à Vogüe-gare. Un lieu d'atmosphère par excellence. Cette semaine-là, la dernière de la course, j'ai également fait la connaissance d'Antraigues et d'un bistrot — lo Podello — peuplé de gens admirables. Le livre d'or de ce bistrot est pas mal non plus. Faut dire qu'Antraigues est le village de Jean Ferrat (entre autres). J'avais d'ailleurs essayé d'avoir une interview de lui au sujet des sœurs Testud puisqu'il se rend parfois au fameux buffet de gare. Il avait un empêchement ce jour-là. Je me souviens aussi de ses deux chiens, hurlant derrière le portail. Des chiens au dentier féroce.

Voilà. Quand on est à Paris, dans un bistrot, et qu'on vient d'avaler une telle macédoine de souvenirs, on en redemande. On se sent un peu cloué au sol. Peur de la routine. Notez que la routine, on la trouvait même en course : voyage en avion (on est devenus des membres de la jet society), arrivée à l'aéroport, la douane, chercher hôtel, chercher sujet, etc., ça devient mécanique... Il y avait bien sûr autre chose en plus. Et puis je ne suis pas un pédant du voyage comme on en trouve pas mal, qui dit : « Quand on a voyagé et qu'on revient, les gens, ici, sont petits... » Il y a des cons partout. Et des êtres très humains, aussi. Oui, oui, je vous assure, j'en ai rencontré, j'en connais. Là-bas, et ici.

Et puis quand le quotidien aura la grisaille trop tyrannique, j'irai enfouir ma vie dans une salle de cinéma. Tout s'éteint et, si le film est bon, je ne sens même plus que les ressorts du fauteuil sur lequel je suis assis me transpercent les fesses et, je ne sais même plus que dehors il fait gris. Une salle de ciné, c'est un lieu magique. D'ailleurs mon but est de faire un jour quelque chose dans le domaine du cinéma. En commençant par être 78e assistant metteur en scène, parallèlement à une activité dans le journalisme. Puis 77e assistant, 76e... Non l'aventure n'est pas finie.

La course, c'est tout de même un cadeau empoisonné. Après ça, pour un temps du moins, il n'y a plus grand-chose qui nous attire si ce n'est rencontrer un jour Nathalie Baye ou Marthe Keller. Non, sérieusement, il est vrai que tout ce qu'on nous proposera sera moins bien : choix du pays, choix du sujet, des millions de personnes pour public, c'est un peu beaucoup à 23-24 ans, non ? Faudra désapprendre !

Et puis un voyage comme celui-là collectionne les remords : « Pourquoi j'ai fait ce sujet-là, pourquoi pas ça ? etc. » Mais j'ai décidé d'adopter une attitude plutôt expéditive vis-à-vis de ces remords : je les rassemble, j'en fais une grosse, grosse boule, je saisis cette boule de la main droite, la laisse tomber en la prenant en volée de mon droit de buteur (je fais du foot), pour la catapulter en direction du royaume de l'oubli.

Je ne veux pas vivre à reculons.

25 février 1983... Demain au studio 101 de la Maison de Radio-France seront enregistrés les deux ultimes programmes de la course : reportages de la dernière semaine, conduisant au classement définitif de l'épreuve et remise des prix.

Depuis des semaines, nous le répétons et ce n'est pas un moyen factice pour maintenir la tension, jamais au cours des cinq années de la course francophone, la bataille pour les places d'honneur n'aura été aussi rude. Pour retrouver des points d'interrogation aussi forts, il faut remonter aux deux premières saisons de l'épreuve, au temps où les candidats français étaient seuls en cause. 76-77 où Bruno Cusa ravit en dernière seconde la première place à Christophe Valentin. 77-78 où Didier Régnier et Jérôme Bony ne purent se départager et occupèrent ensemble la première place.

De l'extérieur, il est difficile d'imaginer l'état de tension qui saisit les télé-globe-trotters dans une situation semblable, cherchant à deviner, à travers leurs images et celles des autres concurrents, les réactions des jurés, faisant et refaisant les additions des notes possibles. Tout se passe comme s'il s'agissait d'une campagne électorale dans laquelle les candidats se suivent de quelques voix. Les jeunes peuvent être alors conduits à un état nerveux presque insupportable. On peut s'attendre à toutes les rancœurs, aux jalousies et à la naissance de haines tenaces. Rien de cela cette année. Yves Godel s'est persuadé que la huitième place est, pour lui, la meilleure parce qu'elle est celle du marginal. Georges Amar, Anne-Christine Leroux, Jean-François Cuisine savent qu'ils ne peuvent guère bouger au tableau de classement. Le sage Raphaël Guillet s'est résigné à la quatrième position, elle sauvera au moins l'honneur de la Suisse ; Marc de Hollogne, éternellement agité, s'est propulsé de Paris à Washington et de Washington à Moscou dans les trois dernières semaines. Mais il sent bien que les excellents scores qui récompensent ses efforts viennent trop tard. Le match final sera un duel entre Mario Bonenfant, le Canadien, et Alain Brunard, le Belge. Quatre points seulement séparent les deux garçons. Alain Brunard vit dans l'angoisse mais l'atmosphère, étonnamment amicale du groupe, est certainement pour lui un apaisement, l'attitude de Mario Bonenfant également. Le benjamin de la course, si mal parti en début d'épreuve, semble tout surpris de sa magnifique remontée. Aucune trace de vanité chez lui. Mario reste lui-même profondément sincère, chaleureux et affectueux, il est partagé entre le désir de gagner et la crainte de voir la désillusion d'Alain Brunard.

Vous savez aujourd'hui ce que fut la finale. Dans leur sagesse, les jurés écartèrent le drame et le geste spontané de Mario se levant dès l'annonce du résultat, pour féliciter Alain, traduisait certainement le soulagement des deux garçons. Reste que pour nous cette course est exemplaire. L'angoisse des derniers jours n'a détruit ni l'esprit de compétition, ni le sens de l'équipe. L'effort continu et le sérieux d'Alain, les surprenants progrès de Mario qui virent leur apogée dans deux grands reportages en Chine se trouvent également récompensés. Il est heureux aussi que le projecteur se soit allumé sur le travail de Marc de Hollogne. Le record absolu des points, attribué à un reportage, a distingué son dernier film : « Images interdites ». De cette simple histoire en quatre minutes, le grand cinéaste Jean Delanoy a pu dire qu'elle était les « Jeux interdits » du temps actuel. L'idée de montrer deux enfants qui jouent construisant et détruisant un château de cubes, tandis qu'une radio diffuse, dans la pièce, des informations alarmantes sur l'état du monde, cette idée a frappé tous les spectateurs.

Une remarque encore. Depuis des années, quelques hommes se sont efforcés, sur l'étroit territoire de la Belgique francophone, de faire du super 8 — format longtemps considéré comme un simple passe-temps d'amateur — un nouvel outil d'écriture. Il me semble que ces hommes qui se sont dépensés avec des moyens très faibles, mais avec beaucoup de passion, reçoivent aujourd'hui, à travers deux jeunes de leurs pays, Alain et Marc, la juste récompense de leurs efforts.

Aujourd'hui la communication se développe vers deux pôles d'appa-rence opposés : une internationalisation permise par des techniques très élaborées, comme les ordinateurs créateurs d'images et les satellites ; une régionalisation qui permet à des êtres, bombardés de signes et de symboles, de se reconnaître et de participer eux-mêmes à des formes de création. Ne trouve-t-on pas dans la course autour du monde une illustration de ces deux tendances ? On y a vu cette année, plus que jamais, des jeunes capa-bles, avec des matériels utilisables par tous, de transmettre des messages significatifs du monde. Les chiffres d'écoute remarquables enregistrés sur toutes les stations, même sur Antenne 2, malgré le changement de jour de diffusion décidé en cours de série, prouve la fidélité des auditoires à une telle forme de programme. Une idée, pour durer, doit évoluer comme la vie même. Dans quel sens évoluera la course ? Certains la récuseront par las-situde, d'autres s'y intéresseront qui y verront au-delà d'une forme de spectacle et d'évasion, un moyen de formation et d'éducation. L'invention que fit Jacques Antoine, il y a huit ans, de plus en plus, me paraît bien plus qu'une bonne idée.

PALMARÈS DÉFINITIF

Premier	Alain BRUNARD	(RTL télévision)	50 000 FF
Deuxième	Mario BONENFANT	(Radio-Canada)	30 000 FF
Troisième	Marc de HOLLOGNE	(RTL télévision)	15 000 FF
Quatrième	Raphaël GUILLET	(Télévision Suisse romande)	10 000 FF
Cinquième	Jean-François CUISINE	(Antenne 2)	
Sixième	Anne-Christine LEROUX	(Antenne 2)	
Septième	Georges AMAR	(Radio-Canada)	
Huitième	Yves GODEL	(Télévision Suisse romande)	

PERSONNALITÉS
ET
ANCIENS CANDIDATS
ayant participé aux jurys de la Course autour du Monde 82-83

CANADA (S.R.C.) Juré permanent : Richard Gay.
Jurés invités : Lyliane Gagnon, Paul Houde, Lise Bissonnette, Sébastien Dhabernas, Jean-Marie Poupart, Rock Demers, Michel Moreau, Jacques Lemieux, Serge Dusseault, Michèle Renaud, Michel Brault, Paul Dauphinais, Jean-Louis Boudou, François Dauteuil, Jacques Robert, Gilles Marsolais, Jean-Pierre Masse, Michel Payelle, François Floquet, Jacques Godbout, Jean Chabot,

BELGIQUE (R.T.L.) Juré permanent : Gilbert Nicoletta.
Jurés invités : Maryette Dumont, Jos Pauly, Lucien Bodard, Catherine Allégret, André Brugiroux, Paul-Émile Victor, Patrick Segal, Christian Mesnil, Christian Mallard, Hervé Le Boterf, Robert Malengreau, Gérard Beaufils, Stéphane Lejeune, Laetitia Crahay, Brigitte Degaire, Benoît Jacques, Bernard Crutzen, Daniel Curtis, Marie-Claire Martens, Joe Lambertz, Patricia Verhaegen, Jean Carlier, Raymond Ravar, Jean-Pierre Imbach, Michel Leblanc, Jean-Claude Broncquart.

SUISSE (S.S.R.) Juré permanent : Jacques Huwiler.
Jurés invités : Laurence Rieben, Michel Pernoud, Alex Decotte, Catherine Schwab, Yves Debraine, Marie-Chantal Romand, Anne-Marie Malher, Claude Chauly, Vincent Philippe, Oscar Araiz, Jean-François Panet,

Louis Necker, Rémy Ackermann, Dominique de Rivaz, Stanislav Popovic, Paul-Henry Arni, Jean-Marc Probst, Gino Donati, Louis de Dardel, Raymond Barrat, Georges Humair, Charles-Henri Faurod, Simon Vermouet, Yves Butler.

FRANCE (Antenne 2) Juré permanent : François Desplats.

Jurés invités : Mireille Rault, Antoine de La Garanderie, Jacques Aubertin, Annie-Claude Bequet, Jean Delannoy, Pierre Granier-Deferre, Jean-Charles Tachela, Jacques Deray, Francis Girod, Denys Granier-Deferre, Marion Sarrault, Philippe Rochot, Jean-Michel Barjol, Louis Gauvreau, Patrick Poivre-d'Arvor, Corinne Perthuis, Christophe Valentin, Philippe de Dieuleveult, Christine Ockrent, Roland Delcourt, Jean Marbeuf, Jacques Serena, Jean-Yves Le Mener, Gérard Oury, Nina Companez, Docteur Daniel Meric.

REMERCIEMENTS

Les télé-globe-trotters et l'équipe de la Course autour du Monde expriment leur reconnaissance :

— Aux ateliers et aux services techniques des stations de télévisions participantes ;
— Aux services des relations extérieures, aux services commerciaux, aux chefs d'escale d'Air France ;
— A U.T.A. et Air Afrique ;
— A l'aéroport de Paris ;
— Aux douanes françaises ;
— A la B.N.P. et à la Banque de France ;
— Aux laboratoires Kodak de Sevran ;
— Aux services techniques des sociétés Beaulieu et Nizo ;
— Aux ambassades et aux consulats de Belgique, du Canada, de la Confédération helvétique, du Grand Duché de Luxembourg et de la France, dans le monde ;
— Aux chefs de bureaux et aux représentants de l'Agence Française de Presse : A.F.P. ;
— A toutes les personnes qui ont accueilli, aidé, guidé les télé-globe-trotters ;
— A toutes celles qui ont accepté de témoigner dans leurs films ;
— Aux téléspectateurs des quatre stations qui leur ont manifesté leur amitié et leur fidélité.

Cet ouvrage a été réalisé sur
SYSTÈME CAMERON
par la Société Nouvelle Firmin-Didot
Mesnil-sur-l'Estrée
pour le compte des Éditions Hachette
le 2 septembre 1983

29.65.0370.01
Imprimé en France
Dépôt légal : septembre 1983
Nº d'édition : 7242 — Nº d'impression : 0222
ISBN : 2-01-009649.5